TASCABILI BOMPIANI   545

Dello stesso autore presso Bompiani

CORROTTO
L'ULTIMO AMORE È SEMPRE IL PRIMO?
NADIA
IL RAZZISMO SPIEGATO A MIA FIGLIA
L'ESTREMA SOLITUDINE
LA SCUOLA O LA SCARPA
JENIN
AMORI STREGATI
L'ULTIMO AMICO
NON CAPISCO IL MONDO ARABO
PARTIRE
L'UOMO CHE AMAVA TROPPO LE DONNE
LA RIVOLUZIONE DEI GELSOMINI
FUOCO
L'ABLAZIONE
È QUESTO L'ISLAM CHE FA PAURA
RACCONTI CORANICI

TAHAR BEN JELLOUN
L'ISLAM SPIEGATO AI NOSTRI FIGLI
e agli adulti che vogliono rispondere
alle loro domande

**NUOVA EDIZIONE ACCRESCIUTA
"VIVERE INSIEME"**

Traduzione di Anna Maria Lorusso

I LIBRI DI
TAHAR BEN JELLOUN

Titolo originale
L'Islam raconté aux enfants

ISBN 978-88-452-8190-7

© 2001-2010/2016 Bompiani/RCS Libri S.p.A., Milano

I edizione Tascabili Bompiani aprile 2016

INTRODUZIONE ALLA NUOVA EDIZIONE

Come le altre due religioni monoteiste, anche l'islam ha i suoi fanatici. Ultima religione rivelata, è comparsa nel VII secolo per chiudere il ciclo iniziato prima col giudaismo e poi col cristianesimo. L'islam è quindi una religione relativamente giovane. Ha solo quattordici secoli. Oggi è più diffusa del cattolicesimo e conta più di un miliardo di fedeli. Per quel che riguarda la contemporaneità, si può datare la sua irruzione sulla scena politica internazionale alla rivoluzione iraniana del 1978. È stato con la vittoria dell'ayatollah sullo scià di Persia – regime allora sostenuto dall'Occidente – che l'islam ha assunto una dimensione politica. Questo islam sciita (con una diversa interpretazione del dogma di Maometto) è destinato a sedurre diversi popoli e a prendere parte a vari conflitti, come quello mediorientale. La politicizzazione dell'islam sarà nutrita, inoltre, dalla lotta contro l'invasione russa dell'Afghanistan. L'Arabia Saudita e altri stati musulmani finanzieranno commando di jihadisti per lottare contro la presenza comunista, e come tale atea, dei russi nel paese. Questi lasceranno l'Afghanistan ma presto saranno sostituiti dagli americani e da altri europei, chiamati in aiuto dalle autorità afghane per fermare il partito degli estremisti talebani, dalla mentalità oscurantista, fanatici, inclini a interpretare l'islam in modo caricaturale e, soprattutto, completamente falso. L'Arabia Saudita era ed è un paese musulmano che segue il rito wahabita, che deriva il suo nome dal teologo del XVIII secolo (Muhammad ibn 'Abd al-Wahhab) che professò un islam molto severo, chiuso su se stesso, interpretato alla lettera e in modo decisamente retrogrado.

A partire da queste premesse, l'islam sarà destinato a mescolarsi al terrorismo, all'oscurantismo, alla negazione del pensiero critico, all'odio dell'Occidente, e talvolta a essere assimilato a una barbarie completamente estranea al suo spirito e alla sua storia.

La manipolazione dei testi religiosi, del resto, è cosa facile. Tutto dipende dalla lettura che se ne dà. Così molto presto il Corano è stato letto da alcuni in modo letterale, senza distacco, rifiutando ogni forma di razionalità e di interpretazione ampia e simbolica. Eppure, nel IX secolo la scuola del movimento chiamato Mutazilismo aveva scelto la strada della razionalità, considerando che Dio è lui stesso Ragione. I mutaziliti hanno letto il Corano con un atteggiamento che vedeva nella Ragione il criterio supremo. Dicevano che Dio ha dato agli esseri umani la possibilità di agire liberamente e questi, essendo responsabili dei propri atti, saranno giudicati alla fine dei tempi in funzione di quel che hanno fatto. Questa posizione, che responsabilizza l'uomo e gli impedisce di spostare le responsabilità sul destino – in cui tutto sarebbe scritto da sempre – non è piaciuta ai difensori della tradizione, che rifiutano violentemente la nozione di libero arbitrio umano, percepito come un ostacolo alla potenza assoluta di Dio. Tale potenza non è alla portata della ragione umana.

Sulla natura del libro sacro – il Corano – il dibattito è stato violento. I razionalisti (mutaziliti) dicono che il Corano è stato creato, quindi è altra cosa da Dio; i letteralisti (portavoce della tradizione) dicono che è increato, e come tale partecipa di fatto della stessa sostanza di Dio.

Ritroviamo in questo dibattito non solo due visioni della religione musulmana ma due visioni del mondo. Hanno prevalso i tradizionalisti, cosa che spiega il fatto che molti stati musulmani di oggi continuano a interpretare il Corano in modo letterale e ad applicare la *sharia*, ovvero la legislazione tradizionale che era in vigore all'epoca in cui l'islam si impose in Arabia. Così, alcuni credenti intendono il Corano come un testo che deve confortare la loro fede e non la loro intelligenza. Leggono il testo senza pensare. Imparato a memoria, lo recitano meccanicamente senza fermarsi a riflettere sul contesto in cui quel versetto è stato rivelato o al senso in cui è stata scritta una certa sura. Subiscono, invece di pensare. Si accontentano di salmodiare il Corano senza osare interrogarlo e soprattutto senza osare confrontarsi con i tempi, la vita, l'evoluzione del mondo, i cambiamenti di mentalità.

È utile ricordare che il Corano è composto di 6236 versetti ed è stato rivelato a Maometto durante molti anni e in luoghi differenti, in situazioni storiche precise. È solo vent'anni dopo la morte del profeta che i 6236 versetti sono stati raccolti in volume secondo dei capitoli (sure) e in un ordine non spiegato.

Sono stati i seguaci del profeta a lavorare sulle loro memorie per raccogliere i versetti e comporre un libro, un libro sacro: il Corano. Faranno la stessa cosa con i detti e le parole del profeta, chiamati *hadith*, ossia commenti, pensieri filosofici, informazioni sulle circostanze in cui questi versetti sono stati rivelati.

Se si parte dalle loro testimonianze, si potrà avere una lettura intelligente del testo coranico, cosa che neutralizza le pretese dei tradizionalisti, che ne danno una lettura semplicistica, limitata e senza immaginazione. Questi si accontentano della fede e rinunciano a utilizzare la loro intelligenza, che li porterebbe a fare appello alla loro responsabilità.

Una lettura del Corano condotta alla luce della fede e dell'intelligenza è raccomandata da Dio stesso, visto che l'uomo può scegliere tra fare il bene e fare il male, agisce secondo il libero arbitrio e sarà giudicato il Giorno del giudizio universale per le sue azioni. La responsabilità dell'essere umano è chiaramente presente nel testo e nello spirito del Corano.

La questione che si pone oggi, in ogni caso, è di ordine più sociologico che religioso. Perché uomini e donne sono legati a un'interpretazione dell'islam che contraddice i suoi stessi principi e i suoi stessi valori e che in più fa loro un torto incommensurabile? Che cosa ha fatto sì che lo spirito del Corano sia stato sacrificato per diventare un'ideologia politica basata sulla violenza, l'odio e la vendetta? Anche se è solo una minoranza quella che pratica un islam rigorista e agisce in modo quasi fanatico, tuttavia è questo il tipo di islam che è sotto gli occhi di tutti. Questo islam basato sull'ignoranza, infatti, nasconde l'altro e suscita ignoranza intorno a sé. Così, perché degli europei dovrebbero studiare questa religione e vederne gli aspetti rispettosi della dignità umana e non violenti?

La risposta a questa domanda si trova nella storia e siamo tentati di fare riferimento a Ibn Khaldun, il primo sociologo e storico arabo (Tunisi 1332 – Il Cairo 1406) che ha scientificamente studiato la società araba. Ibn Khaldun ci insegna che l'essere umano è legato a ciò che storicamente lo inserisce in uno spirito di clan, uno spirito di corpo (che in arabo chiama *Assabiyya*), una sorta di solidarietà, un sentimento di appartenenza e di attaccamento agli antenati dello stesso sangue. L'essere umano persevera nel suo essere, qualunque sia l'evoluzione del mondo. L'islam apparve in Arabia nel VII secolo fra tribù beduine, legate alla loro indipendenza e al loro spirito di clan. Si è poi imposto dando loro altri valori, quelli in particolare del rispetto dei diritti umani. Gli arabi, prima dell'avvento dell'islam, seppellivano vivi i neonati femmina. L'islam ha proibito queste pratiche fin da subito. Ha stabilito un quadro filosofico, spirituale e umanista in cui l'uomo andasse verso il Bene e verso l'acquisizione del sapere. Il profeta Maometto non ha forse detto: "Acquisite sapere dalla culla alla tomba"?

I tradizionalisti, i letteralisti, i rigoristi si sono da sempre battuti contro la ragione, contro l'apertura che aveva segnato il mondo musulmano fra il IX e il XII secolo. Oggi hanno preso in ostaggio questa religione e le fanno dire quello che essa non dice, le attribuiscono comportamenti e principi che essa non ha mai propugnato. Due esempi: l'islam, come le altre religioni monoteiste, vieta il suicidio e l'omicidio. Quando un giovane afghano o pakistano sacrifica la sua vita per uccidere il massimo numero di persone che ha intorno, insulta l'islam e il suo spirito. L'islam lo condanna senza la minima ambiguità o indulgenza. La violenza, il fanatismo, l'odio non fanno parte dell'islam, quale è stato rivelato nel VII secolo e quale si è diffuso successivamente per il mondo.

Come spiegare il fatto che un ragazzo perde il suo istinto di vita o di sopravvivenza e lo sostituisce con l'istinto di morte e di omicidio? Attraverso quale miracolo si riesce a convincere un giovane di vent'anni a offrire la sua vita per una causa di cui non vedrà l'eventuale trionfo? Come si produce, nella sua testa, il passaggio dalla scelta della vita alla scelta dell'annullamento della vita? Questi ragazzi non sono né depressi né malati mentali. Generalmente godono di buona salute, ma hanno rinunciato al loro spirito e alla loro intelligenza per servire un clan, una tribù che potrebbe essere paragonata a una setta.

Gli europei conoscono i drammi delle sette in cui tanti giovani si sono perduti, agendo secondo le direttive di un guru che è in realtà un capobanda, un perverso abbastanza intelligente e abbastanza forte per svuotare il cervello degli altri e anche il loro conto in banca.

L'analogia sta nella forma. Il contenuto è diverso ma il risultato è lo stesso.

Il Corano è un testo poetico, fatto di metafore e simboli. Per questo è suscettibile di letture diverse. Dipende dagli occhiali con il quale lo si legge: se si portano degli occhiali che impediscono di andare al di là delle parole, lo si capirà in modo riduttivo e soprattutto in contraddizione col suo spirito. Se si indossano lenti più sensibili, si capirà che il Corano è un testo dal valore universale, che rappresenta un progetto di civilizzazione e di cultura basato sull'umanesimo, sull'avvicinamento fra i popoli, sulla ricerca del sapere e sul trionfo della ragione e dell'intelligenza. Tutto dipende da come lo si affronta.

Per questo è importante e urgente vedere in che modo il Corano viene divulgato nelle scuole, da chi è insegnato e come viene recepito. Ibn Khaldun ricorda l'importanza della pedagogia, dovendo la razionalità essere alla base di qualunque insegnamento. Gli stati europei dovrebbero prendere in carico questo insegnamento e diffonderlo affinché l'islam non resti un mistero o un fantasma che fa paura. Non bisogna più affidare l'insegnamento della storia e dei valori musulmani a persone mandate da stati come l'Arabia Saudita o l'Iran. Occorre insegnare l'islam allo stesso titolo delle altre religioni, in uno spirito laico, vale a dire oggettivo, reinserendo i testi nel loro contesto storico e culturale. L'islam è la seconda religione in Francia. È una ragione sufficiente perché lo stato si occupi del suo insegnamento in uno spirito di apertura e di lungimiranza.

Di seguito qualche elemento basilare.

– Il Corano si colloca in continuità con i testi che lo hanno preceduto, come la Torah e i Vangeli. Lo stesso si dica dei profeti: Abramo, Gesù, Mosè e infine Maometto. È per questo che il Corano esige dai credenti rispetto e venerazione delle figure profetiche e dei libri sacri precedenti il Corano: "Crediamo in Dio e in quel che è stato rivelato a noi e in quel che è stato rivelato ad Abramo, Ismaele, Isacco, Giacobbe, alle tribù, a Mosè, a Gesù, ai profeti dal loro Signore senza fare distinzione fra loro alcuna, e a Lui noi tutti ci diamo" (sura III, versetto 84).[1]

– Per essere musulmano basta credere in un Dio unico e affermare che Maometto è il suo profeta. Nella sura CXII, versetti 1-4 si legge: "Egli, Dio, è uno – Dio, l'Eterno – Non generò e non fu generato – e nessuno Gli è pari".

– Il profeta Maometto non fece miracoli. Era un uomo umile che non sapeva neanche leggere, un uomo ricco di bontà. Dio gli ha dettato questa frase: "'E chi son io, sia gloria al Signore, se non un uomo mortale a voi mandato da Dio?' [...] Colui che Iddio guida, egli è il Guidato" (sura XVII, versetti 93-97). Maometto si era sposato più volte, aveva avuto dei figli, di cui alcuni morirono prematuramente. Ebbe un periodo in cui la cattiva sorte si era accanita su di lui: la morte della prima moglie Khadija, che amava mol-

---

[1] Le citazioni dei versi coranici seguono l'edizione italiana del Corano, "BUR Pantheon", Milano, Rizzoli, 1999. Per alcuni termini, tuttavia – come il gioco d'azzardo – si è preferita la versione italiana corrente e non la traslitterazione dell'originale arabo. (*N.d.T.*)

to, fu seguita da quella di suo zio, il suo principale sostegno. La vita non lo risparmiò, con le sue infelicità e le sue delusioni. Dio gli fa dire nella sura VII, versetto 188: "Io non ho alcun potere su di me, a mio favore o a mio danno, se non in quanto Dio lo voglia. Se io conoscessi l'Arcano, godrei abbondanza di beni e il male non potrebbe colpirmi; ma io non sono che un Ammonitore e un Messaggero". In un'altra sura (sura XLVI, versetto 9), precisa questa forma di umiltà: "Io non so cosa avverrà di me né di voi, io non seguo altro che quello che m'è rivelato".

Dio raccomanda la tolleranza e l'indulgenza di fronte a coloro che scelgono di essere nemici dell'islam. Nella sura V, versetto 32, si legge: "Chiunque ucciderà una persona senza che questa abbia ucciso un'altra o portato la corruzione sulla terra, è come se avesse ucciso l'umanità intera. E chiunque avrà vivificato una persona sarà come se avesse dato vita all'umanità intera".

Sull'origine del velo

Come e perché Dio ha consigliato al profeta che le donne si coprano la testa?

A Medina le madri e le figlie che uscivano la sera per fare delle commissioni venivano importunate da dei poco di buono, che le prendevano per prostitute. Le donne si lamentarono con i loro mariti, che ne parlarono al profeta, il quale si rivolse a Dio chiedendogli cosa fare. "Di' alle tue spose e alle tue figlie e alle donne dei credenti che si ricoprano dei loro mantelli; questo sarà più atto a distinguerle dalle altre e a che non vengano offese" (sura XXXIII, versetto 59). Non ha parlato di velo, *niqab*, *burqa*. "Veli" vuol dire qui "cappa", *djellaba*. Ecco la prova per dimostrare che in nessun passo del Corano si dice che le donne dovrebbero uscire in strada avvolte in un velo integrale come fantasmi o mummie. È un dato di fatto che, tra le donne che oggi portano il velo, certe lo fanno per evitare che gli uomini le importunino per strada (come nella storia delle origini). Ma non si tratta di negare il corpo della donna nascondendolo come un oggetto curioso che porta scandalo o infelicità.

Anche quelli che vengono detti "crimini d'onore", gli omicidi commessi per salvare l'onore della famiglia, sono pratiche legate più a tradizioni, costumi, abitudini, che dettate dalla religione. Si confondono i precetti dell'islam con i costumi delle popolazioni convertite all'islam.

Certo, si deve riconoscere che lo statuto della donna nell'islam è inferiore a quello dell'uomo. Ma lo stesso avviene anche nelle altre religioni monoteiste. Questa diseguaglianza, affermata a chiare lettere nel testo coranico, è da riportare al contesto temporale e geografico in cui viene presentata. Siamo nel VII secolo, fra le tribù beduine dell'Arabia che, prima dell'arrivo dell'islam, adoravano idoli in pietra e talvolta seppellivano i loro neonati, se erano di sesso femminile. Il versetto sulla superiorità dell'uomo rispetto alle donne è il 34 della sura IV: "Gli uomini hanno sulle donne autorità per la preferenza che il Dio ha concesso al maschio sulla femmina e a causa di ciò che essi hanno speso per loro delle sostanze proprie. [...] Temete l'infedeltà di alcune di esse? Ammonitele, relegatele sui loro giacigli in disparte, picchiatele: ma se tornano a miti sentimenti di obbedienza, allora basta, va bene così". È detto, sì, che uomo e donna hanno pari statuto dal punto di vista metafisico, hanno cioè una pari dignità spirituale. Ma quella che è chiaramente affermata è la loro diseguaglianza sociale.

Ecco, allora, un esempio della lettura letteralista del Corano. Se non si inserisce nel contesto appropriato questa diseguaglianza, dovremmo fare come se non fossimo nel XXI secolo e la condizione sociale, economica e psicologica della donna non fosse ampiamente cambiata. La lettura razionalista è quella dell'intelligenza che relativizza i fatti. Purtroppo pochi musulmani osano ricorrere a questo tipo di intelligenza, perché escludendola possono esercitare un dominio sulle donne, col presunto appoggio della parola di Dio. Ma Dio non ama l'ingiustizia, i maltrattamenti, la schiavitù. Se un uomo rispetta la condizione della donna e la tratta come pari dell'uomo, non sarà meno musulmano di chi invece esercita su di lei il suo potere, anzi: Dio incoraggia il credente a lavorare per la giustizia e l'uguaglianza.

Tappe della proibizione degli alcolici

I versetti del Corano sono stati rivelati nel corso di ventidue anni in luoghi diversi. Dio si esprimeva ogni volta che il profeta si rivolgeva a lui, per spiegargli qualcosa o dare risposte a domande poste dai cittadini. Un esempio: l'interdizione degli alcolici. Ha seguito tre tappe, le tre situazioni in cui Dio doveva stabilire in modo chiaro una regola.

1. Uno dei seguaci del profeta gli disse: "Ti domanderanno ancora del vino e del gioco d'azzardo. Rispondi: 'C'è peccato grave e ci sono vantaggi per gli uomini in ambe le cose: ma il peccato è più grave del vantaggio'" (sura II, versetto 219).

2. Dopo che un imam ebbe ben mangiato e ben bevuto, presidiò la preghiera coi suoi amici. Invece di dire quel che era opportuno dire, fece una gran confusione e si rivolse ꞌ coloro che andavano a pregare con lui in questo modo: ꞌ non credenti!" Si chiese di nuovo al profeta di preꞋola di Dio e allora fu rivelato questo versetto:

ꞁ

"O voi che credete, non accingetevi alla preghiera in stato di ebbrezza" (sura IV, versetto 43).

3. Lo zio del profeta, ubriaco, uccise due cammelli che appartenevano al nipote Ali. Ali se ne lamentò con Maometto. Questi si presentò allora a casa di suo zio, che lo accolse con insulti. Dopo questo grave incidente, Dio ha rivelato il terzo e ultimo versetto, che vieta in modo definitivo ogni bevanda fermentata: "O voi che credete! In verità il vino, il gioco d'azzardo, le pietre idolatriche, le frecce divinatorie sono sozzure, opere di Satana; evitatele, a che per avventura possiate prosperare" (sura V, versetto 90).

Questo divieto è forse il meno rispettato in molti paesi musulmani. L'islamismo attuale si presenta come un richiamo all'igiene della vita, come una morale che respinge la corruzione dei corpi e dell'animo. Ma questo volto "moralmente ecologico" non è che una facciata, conseguente al fatto che l'islam è diventato un'ideologia politica per conquistare il potere temporale attraverso mezzi diversi dall'esercizio della democrazia, cioè senza ricorrere alla facoltà di libera scelta del proprio destino dei cittadini, alla responsabilità spesso richiamata nel Corano volta a fare di ogni credente un essere responsabile dei suoi atti e non un essere sottomesso a un'ideologia che si presenta come un sostituto della fede.

Quello che si richiede oggi ai musulmani, dunque, è tornare al Corano e farne una lettura intelligente, aperta e responsabile. Nel 2009, due scrittori francoegiziani, sotto lo pseudonimo comune Mahmoud Hussein, hanno pubblicato un libro, *Penser le Coran* (edizioni Grasset). Con quest'opera hanno partecipato a dei dibattiti e hanno visto che la maggior parte dei musulmani francesi è preoccupata per l'ignoranza che gli islamisti fanno circolare. Bastano pochi elementi ben indottrinati per falsificare il testo e darne un'interpretazione che va contro lo spirito dell'islam. Quest'islam fanatizzato fa paura, non solo agli europei – cosa legittima – ma anche ai numerosi musulmani che subiscono gli effetti nefasti e gravi di questa deviazione. (Se si esclude l'attacco alle due torri del World Trade Center dell'11 settembre 2001, la maggior parte delle vittime degli attentati terroristi nel nome della jihad islamica è musulmana.)

Per il momento è l'ignoranza che prende piede. E ad essa fanno seguito paura e conflitti che rendono il vivere insieme problematico. Il Corano richiama spesso i danni che causa intorno a sé l'ignoranza. Del resto, l'epoca che precede l'arrivo dell'islam in Arabia è chiamata *jahiliyya*, che significa "ignoranza". Il Corano è stato rivelato per illuminare le menti, per metterle sul cammino del Bene e della Ragione. Però di fatto è sul cammino dell'oscurantismo, dell'ignoranza eretta a fatto indiscutibile, che l'islamismo si sviluppa. Il peggio è l'islamizzazione delle menti, vale a dire una sorta di colonizzazione delle mentalità da parte di questa ignoranza che autorizza qualsiasi uomo pieno di sé a erigersi a imam (cioè a presiedere alla preghiera), a fare prediche e a dare consigli, a volte ordini, in relazione alla condotta della vita intima di ciascuno. Va aggiunto a questa usurpazione l'ampio ricorso fatto dai musulmani ai canali della televisione satellitare nei paesi del Golfo e del Vicino Oriente. È da questi schermi che vengono diffusi quotidianamente discorsi pieni di odio contro la Ragione, contro lo sviluppo, contro lo spirito di libertà e di laicità, contro l'Occidente. In fin dei conti, questa propaganda finisce per penetrare negli spiriti deboli e, nei casi peggiori, per dare un senso alla loro vita.

L'islam in Europa è possibile a condizione che non sia preso in ostaggio da fanatici che caricano sulle spalle dell'Occidente l'infelicità che vivono. In questo senso, solo la laicità è capace di "ripulire" la religione dal fanatismo. La laicità non è la negazione della religione; al contrario, è una forma di rispetto nei suoi confronti, nella misura in cui è vissuta nella sfera privata e non pubblica. L'Europa dovrebbe studiare il modo più scientifico per lottare contro i vari elementi di fanatismo islamico. Ha il dovere di valorizzare l'islam nella sua verità, nella sua legittimità, e rispondere così all'ignoranza attraverso la conoscenza e la difesa dei cittadini musulmani che vivono nei suoi territori e fanno progressivamente sempre più parte della sua storia e del suo paesaggio umano. C'è la lotta per la sicurezza (è un problema della polizia) e poi c'è il dover accettare un dato di fatto che è il seguente: l'islam non è incompatibile con la democrazia, con la libertà e con la laicità. Per questo, è essenziale che i politici europei non sfruttino più questa religione a fini elettorali e che non si appoggino più alla paura per governare il loro paese.

L'ISLAM SPIEGATO
AI NOSTRI FIGLI

L'11 settembre spiegato ai nostri figli

Le immagini della tragedia americana non hanno risparmiato i nostri figli. I commenti che hanno sentito ovunque a proposito dei terroristi e della loro appartenenza al mondo arabo e musulmano li preoccupano e li spaventano. Così, uno dei miei figli (meno di dieci anni) mi ha fatto questa domanda:

"Papà, io sono musulmana?"

"Sì, come i tuoi genitori."

"E sono anche araba?"

"Sì, sei araba, anche se non parli questa lingua."

"Ma hai visto anche tu la televisione: i musulmani sono cattivi, hanno ucciso molte persone; io non voglio essere musulmana."

"E allora? Cosa pensi di fare?"

"D'ora in poi, a scuola, non rifiuterò più la carne di maiale in mensa."

"Se preferisci, ma prima che tu rinunci a essere musulmana, devo dirti che i cattivi di cui parli non sono dei veri musulmani; ci sono persone cattive dappertutto."

"Ma tutti dicono che sono arabi..."

"Non bisogna fare di tutta l'erba un fascio. Non tutti gli arabi sono musulmani. Ci sono arabi cristiani in Egitto, in Palestina, in Sudan..."

"Ho visto un vecchio con la barba che pregava come un nonno e poi imbracciava un fucile e sparava su delle immagini; è musulmano?"

"Se prega come tuo nonno, sì."

"Perché quelli che hanno fatto queste cose non sono dei veri musulmani?"

"Allah, come il Dio degli ebrei e dei cristiani, vieta di uccidersi, cioè condanna il suicidio. Così come vieta di uccidere gli altri. Quindi queste persone che sono salite su degli aerei, hanno ucciso i piloti con un coltello, poi hanno diretto gli aerei contro le torri di New York, ignorano la religione musulmana e sono dei fanatici."

"Cos'è un 'fanatico'?"

"È chi crede di avere sempre ragione e vuole essere sempre il più forte; se non sei d'accordo con lui, diventa molto cattivo."

"L'America non era d'accordo con queste persone e quindi loro hanno fatto cadere l'aereo sulle torri?"

"Non si può essere d'accordo con loro. Quello che hanno fatto è tremendo. Nessuno può accettarlo."

"Cosa ha fatto l'America per farli diventare così crudeli?"

"L'America, o meglio, il governo americano, ha commesso molti errori e molte ingiustizie. Da dieci anni bombarda le popolazioni irachene. Molti bambini iracheni sono morti in seguito a questi bombardamenti. Nel 1991, l'armata irachena ha invaso il Kuwait, al confine col suo territorio. L'America e molti altri paesi sono intervenuti e hanno fatto uscire i soldati iracheni dal Kuwait. In seguito il paese è stato punito dalle Nazioni Unite. Ma è stato il popolo a essere punito, non il suo governo. Capisci, è complicato. Non è semplice come pensi, soprattutto perché l'America è una grande potenza e deve stare attenta a non fare errori. Detto questo, niente giustifica questi massacri."

"Ma sono stati gli iracheni ad attaccarla?"

"No, sono state persone che si dicono arabe e musulmane. Per me sono dei pazzi."

"Perché sono pazzi?"

"È stato insegnato loro, quando erano ancora piccoli, quando andavano ancora alla scuola coranica, che Allah chiede ai suoi fedeli di andare a uccidere i nemici dell'islam, ricompensandoli poi col paradiso."

"Non capisco, bisogna uccidere per andare in paradiso?"

"Ovviamente no. Gli è stato fatto credere così."

"E loro ci credono? Come si fa..."

"Si ripete molte volte la stessa cosa, si portano esempi di soldati morti in guerra, si cita un versetto del Corano che dice: 'E non dite di coloro che sono stati uccisi sulla via di Dio: «Sono morti!» No! Che anzi essi sono viventi [...]' (sura II, versetto 154). Le persone finiscono per credere a ciò che viene detto loro migliaia di volte."

"Ma sono molto cattivi! Fanno morire delle persone per andare in paradiso!"

"È una menzogna."

"Ma perché i loro capi dicono loro tutte queste cose?"

"Perché sono in guerra contro le persone che non pensano come loro, non amano la vita; accettano di sacrificare la propria, a condizione di trascinare con sé il numero massimo di morti. Sono dei terroristi."

"Papà, cosa vuol dire 'terrorista'?"

"Nella parola 'terrorista' trovi la parola 'terrore': uno spavento tremendo, una paura collettiva enorme, il panico, qualcosa che fa tremare e spaventa un'intera popolazione. È terribile. La storia dell'umanità ha attraversato diverse epoche di terrore, come quella che ha accompagnato la Rivoluzione francese, nel 1789."

"Non capisco perché delle persone che vogliono andare in paradiso non ci vadano da sole. Perché uccidono e fanno tremare di paura persone che, da parte loro, non uccidono?"

"Non lo so, figlia mia; io la penso come te, non riesco a capire come delle persone giovani, che hanno studiato, che hanno viaggiato, che hanno approfittato della libertà e degli agi dell'America, possano decidere un giorno di fare un massacro tale, sacrificando anche la propria vita. Lo fanno nel nome dell'islam. Fanno del male alle proprie famiglie, all'islam e ai musulmani. A spingerli non è più la religione, perché nessuna religione spinge a uccidere degli innocenti, e islam significa 'sottomettersi alla pace', non 'uccidere degli innocenti'. Si tratta di una follia che né tu né io possiamo arrivare a capire."

"Quando eri bambino, sapevi di essere musulmano?"

"Sì, sono nato in una casa in cui ho sempre visto mia madre e mio padre pregare."

"E tu?"

"Anche io pregavo, ma ero pigro, soprattutto l'inverno, quando bisognava alzarsi presto e lavarsi con l'acqua gelata. Prima di ogni preghiera, infatti, è obbligatorio lavarsi, fare le cosiddette abluzioni."

"Allora non ti lavavi?"

"Sì, ma mio padre notava che lo facevo in modo superficiale e che non mi piaceva l'acqua molto fredda."

"Cosa ti diceva?"

"Un giorno ci ha chiamati, me e mio fratello, e ci ha detto: 'Figli miei, voi siete nati nell'islam, dovete obbedire ai vostri genitori e a Dio. In teoria, dovete dire cinque preghiere quotidiane e il digiuno del Ramadàn. Ma nell'islam non esistono costrizioni. Nessuno ha il diritto di obbligarvi a dire le preghiere, né Dio né vostro padre. Come dice il proverbio, nel Giorno del giudizio ogni pecora del gregge sarà presa per le sue zampe. Quindi siete liberi, pensateci; la cosa fondamentale è non rubare, non mentire, non picchiare chi è debole e chi è malato, non tradire, non calunniare chi non ha fatto nulla, non maltrattare i propri genitori e soprattutto non commettere ingiustizie. Ecco, figli miei; il resto sta a voi. Io ho fatto il mio dovere. Sta a voi essere figli degni di questi insegnamenti'."

"E allora?"

"Ho baciato la mano di mio padre come facevo ogni mattina, e mi sono sentito libero. Ho capito quel giorno che potevo essere musulmano senza praticare con grande disciplina le regole e le leggi dell'islam. Ricordo anche quello che ci diceva il maestro di scuola coranica: 'Dio è misericordioso!' ripeteva, 'Lode a Dio pieno di misericordia' – cioè: Dio sa perdonare."

"Ma dimmi, tu le tue preghiere le dici o no?"

"Senti, non è una domanda da fare; non si è tenuti a rispondere a domande di questo tipo perché violano la libertà della persona. Se prego, la cosa riguarda solo me. Se prego, non è per mostrare alla gente che sono un buon musulmano. Certe persone vanno alla moschea per essere viste, altre persone invece perché sinceramente compiono il proprio dovere di credenti."

"Papà, ho paura."

"Sono qui, non aver paura, i cattivi sono morti."

"Sì, ma ho sentito che ci sarà la guerra."

"Quale guerra?"

"Non lo so, anche a scuola ci è stato detto che bisogna fare attenzione; se vediamo una borsa abbandonata per terra, dobbiamo chiamare la maestra; non so; ho paura."

"Non preoccuparti, la vita è bella malgrado tutto!"

Secondo giorno

Ho immaginato cosa sarebbe diventata questa discussione se l'avessi proseguita con dei bambini di età compresa fra i dieci e i quindici anni.

Ho immaginato le loro domande, la loro preoccupazione, la loro impazienza. Racconto quindi l'islam e la cultura araba ai miei figli, musulmani di nascita, ma anche a tutti gli altri bambini – qualunque siano il loro paese, la loro origine, la loro religione, la loro lingua e anche le loro speranze.

Questo libro non vuole essere né una predica né un'arringa. Non cerco di convincere nessuno, racconto il più oggettivamente possibile e nel modo più semplice possibile la storia di un uomo diventato profeta e anche la storia di una religione e di una cultura che tanto hanno dato all'umanità. Ho riletto il Corano, ho esaminato libri specialistici, ho consultato l'Enciclopedia dell'islam, e ho cercato di restituire in poche pagine quindici secoli di storia, nella speranza di comprendere anche solo qualcosa di ciò che sta accadendo oggi.

"Papà, non ho capito bene cos'è l'islam. Io sono musulmana, ma questo cosa vuol dire?"

"Approfitto di quest'occasione per rivolgermi a te e a tutti i bambini che hanno voglia di imparare. Vi racconto la storia di questa religione, come una favola.

C'era una volta, molto tempo fa, più di 1400 anni fa, un bambino nato intorno all'anno 570 alla Mecca, una piccola città situata nel deserto dell'Arabia. Si chiamava Maometto. Non ha conosciuto suo padre, morto prima che nascesse. Non andrà a scuola. Crescerà senza saper leggere né scrivere. La gente, all'epoca, viveva di allevamento e del commercio che faceva con le carovane che attraversavano il paese di città in città. La Mecca era un centro commerciale importante. Le carovane che venivano dal Nord, dall'Est o dal Sud passavano per La Mecca. Non lontano di lì, c'era la città di Gedda, che aveva un porto."

"Come si chiamano gli abitanti di questa regione?"

"Arabi. Erano beduini, carovanieri, nomadi. Vivevano sotto le tende."

"Cosa vuol dire 'beduino'?"

"I beduini sono i primi abitanti dell'Arabia. In questa parola si trova il verbo arabo *bada'a*, che significa 'apparire'. I beduini sono le prime popolazioni che sono vissute nel deserto o nelle campagne."

"E 'nomadi'?"

"Nomadi sono coloro che si spostano, che non hanno un'abitazione fissa. I beduini infatti costituivano delle piccole comunità che viaggiavano continuamente, alla ricerca di pascoli e sorgenti d'acqua. Erano dei nomadi. Viaggiavano su cammelli."

"Il piccolo Maometto è nato lì. Cosa faceva sua madre?"

"Si chiamava Amina; anche lei è morta, quando Maometto era ancora piccolo, aveva meno di sei anni. Maometto è diventato orfano molto presto. È cresciuto con una nutrice, Halima. È stato suo nonno a occuparsi dei suoi studi. Ha vissuto alla Mecca con gli zii, guardiani della *kaaba*, un edificio cubico in cui si trova una pietra famosa, la Pietra Nera, che il profeta Abramo, padre dell'umanità, ha deposto lì. Si tratta di una pietra sacra. Gli abitanti dell'Arabia venivano una volta all'anno alla Mecca per toccare questa pietra. Facevano quello che si chiama un pellegrinaggio. Ma in questa regione c'erano anche cristiani ed ebrei, vale a dire beduini che credevano in un solo Dio. La religione ebraica che viene detta giudaismo esiste infatti da 5771 anni. La religione cristiana esiste da 2010 anni. All'epoca, però, cristiani ed ebrei non erano numerosi in questa regione. Gli altri adoravano statue, pietre, i cosiddetti 'idoli'. Sembra che alla *kaaba* ci fossero 360 idoli. Non tutti gli arabi adoravano gli idoli. Alcuni fra loro credevano nella potenza della natura, nella forza della luce, nella forza del vento, nella memoria degli antenati, in coloro cioè che avevano vissuto prima di loro."

"Cosa farà in seguito Maometto?"

"Dopo i primi anni con la nutrice, va a vivere con lo zio Abu Talib, un uomo povero ma molto rigoroso e buono. Impara da lui la fedeltà, l'onestà e la bontà. Lo considera suo padre. Quando avrà venticinque anni inizierà a lavorare da una donna, ricca e vedova, proprietaria di molte carovane: Khadija. La donna era più grande di lui; aveva quarant'anni. Maometto la sposerà e avranno tre figli e quattro figlie. Purtroppo, i figli moriranno."

"Perché ha sposato una donna più grande di lui?"

"È destino. Era la proprietaria delle carovane e affidava sempre più lavoro al giovane Maometto. Un giorno gli ha proposto di essere più di un uomo al suo servizio. Lui ha accettato."

"È restato vicino allo zio con cui è cresciuto?"

"Sì. Il figlio di suo zio, Ali, nato verso il 600, resterà molto vicino a Maometto; non sarà per lui solo un cugino, ma un amico. Ali avrà un ruolo molto importante alla morte di Maometto."

"Come ha fatto Maometto a diventare capo di una religione?"

"Non lo sapeva in anticipo. Era un uomo discreto e sensibile. Doveva sentirsi diverso dagli altri. Aveva l'abitudine di andare nei pressi della Mecca, sulle montagne, a ritirarsi in una grotta per riflettere sulla vita, sulla natura, sul Bene, sul Male. Meditava."

"Cosa vuol dire 'meditare'?"

"Vuol dire riflettere profondamente, sperare di trovare un senso alla vita; molto tempo fa, questo verbo significava 'curare un malato'. Maometto doveva cercare nel silenzio e nella solitudine un rimedio alla vita, fatta di persone povere e ricche, di persone che godono di buona salute e di altre deboli e malate."

"Ma cosa poteva fare per le persone infelici?"

"Pensava e cercava il mezzo per renderle meno infelici. Un giorno, o meglio, una notte, mentre si trovava in una grotta sul monte Hira, ebbe una visione; vede davanti a sé una luce molto intensa e molto bella che parla; è un angelo, solenne, che gli ordina di leggere. Gli dice: 'Leggi'. Ma Maometto, che aveva appena compiuto quarant'anni, gli risponde: 'Non posso leggere!' Non dimentichiamo che non era andato a scuola, e quindi non sapeva né leggere né scrivere. Allora l'angelo, di nome Gabriele, gli chiede di ripetere dopo di lui: 'Leggi nel nome del Signore tuo che ti ha creato. Egli ha creato l'uomo da un'aderenza. Leggi. Perché il Signore tuo è sommamente generoso. Ha istruito l'uomo per mezzo del calamo e gli ha insegnato ciò che ignorava'. Maometto, emozionato e tremante, ripeté dopo l'angelo Gabriele queste frasi."

"Cosa significa 'aderenza'?"

"La parola araba è *'alaq* ed esprime una sostanza vischiosa. Alcuni hanno tradotto questa parola con 'grumo di sangue'. In realtà si tratta del liquido vischioso formato dagli spermatozoi; si chiama 'sperma'. È grazie agli spermatozoi che gli esseri umani si riproducono."

"Cosa vuol dire 'calamo'?"

"È la canna che serve a fabbricare una matita o una penna per scrivere."

"Cosa fece Maometto dopo questa visita? Ebbe paura?"

"Era molto preoccupato. Maometto era un uomo semplice; era intelligente e aveva paura di cadere in una trappola ordita dal demonio. Allora, tornando a casa, si confidò con sua moglie Khadija. Questa andò da un sapiente cristiano della Mecca che si chiamava Waraka ibn Nawfal e gli chiese il suo parere su quello che era appena accaduto, e un consiglio. Quest'uomo, saggio ed erudito, disse che Maometto era il profeta che si aspettava da tempo. Dio, infatti, doveva inviare agli uomini un suo messaggero; sarebbe stato l'ultimo, un uomo che avrebbe parlato ai suoi simili e avrebbe insegnato loro ciò che la luce viva avrebbe dettato a lui."

"Perché Dio non ha parlato direttamente agli uomini?"

"Ha preferito scegliere un uomo semplice e buono affidandogli dei messaggi da ripetere poi ai suoi simili. Maometto, grazie a questa luce viva e magnifica, ha avuto la Rivelazione."

"Cos'è una 'rivelazione'?"

"Qualcosa che si mostra e diventa evidente; quando si cerca la verità e poi questa appare si dice: 'La verità si è rivelata'. Maometto annuncerà la parola di Dio; essa sarà raccolta negli anni dai suoi seguaci e dai suoi amici; andrà così a costituire un libro, il libro dei musulmani, il Corano."

"Cosa significa la parola 'Corano'?"

"La parola 'Corano' viene dal verbo arabo *qaraqa*, che vuol dire 'leggere, recitare'. Maometto riceverà questo libro, unico nel suo genere, lungo ventitré anni, frase dopo frase, più tardi si dirà versetto per versetto, poi sura per sura, a capitoli. Il messaggio di Dio arriverà a Maometto sempre attraverso l'intermediazione dell'angelo Gabriele, che ogni volta si presentava a lui sotto forma di grande luce abbagliante."

"Cosa diceva Gabriele a Maometto?"

"Gli diceva che esiste un solo Dio, onnipotente e misericordioso. Gli diceva che bisogna essere fedeli alla parola di Dio, che bisogna credere al suo messaggio, che esiste un'altra vita dopo la morte, che l'uomo sarà giudicato secondo le sue azioni e che ogni parte del corpo umano dovrà rendere conto di ciò che ha fatto in vita, che gli uomini buoni e giusti saranno ricompensati andando in paradiso, mentre gli altri, i cattivi, i miscredenti, i criminali, saranno giudicati e mandati all'inferno. Gli diceva che bisogna fare il Bene ed evitare il Male, che bisogna essere saggi e credenti, che soprattutto non bisogna adorare delle pietre e non bisogna credere che ci sia un altro Dio al di fuori di Dio."

"Ma la nostra maestra, che è cristiana, ci insegna le stesse cose!"

"Sai, come ti avevo detto, prima della nascita della religione di Maometto, esistevano altre due religioni, il giudaismo e il cristianesimo; entrambe adoravano un solo Dio. Anche queste due religioni hanno avuto dei profeti, Mosè e Gesù. Gli ebrei, i cristiani e i musulmani devono formare 'una sola comunità di credenti'. L'islam si è aggiunto a queste due religioni. Vengono definite religioni monoteiste o religioni del libro. Il libro degli ebrei è la Torah, quello dei cristiani la Bibbia, composta di Antico e Nuovo Testamento, e quello dei musulmani il Corano."

"Mono... lo so cosa vuol dire, uno solo!"

"Sì, esattamente; monoteista si dice di chi crede in un solo Dio."

"Allora, se abbiamo lo stesso Dio, perché i musulmani e gli ebrei si fanno la guerra?"

"Ti sbagli; i musulmani e gli ebrei non si fanno la guerra. Sono due popoli che si contendono la stessa terra. Ma non è una guerra di religione. L'islam riconosce gli stessi profeti degli ebrei e dei cristiani."

"In che senso 'riconosce'?"

"I musulmani che devono adorare e amare il loro profeta Maometto, messaggero di Dio, devono portare lo stesso rispetto a Mosè e Gesù. Non va dimenticato che l'islam è nato circa sei secoli dopo Gesù. Quindi, è l'ultima religione monoteista della storia dell'umanità."

"E i cristiani, cosa pensano dei musulmani?"

"Sarebbe lungo da raccontare. Ma sappi che tra il 1962 e il 1965, in Vaticano, a Roma, cioè là dove vive il papa, si è svolta un'assemblea con le personalità più importanti della chiesa che ha riconosciuto 'che nell'islam c'erano dei valori preziosi'. Questa assemblea si chiama Concilio Vaticano II."

"Spiegami perché quello che è capitato a Maometto è stato definito islam, o religione musulmana."

"Nella parola 'islam' vi è la parola 'salam', che significa 'pace'. L'islam è la sottomissione dell'uomo alla pace, la sottomissione a un unico Dio cui si deve obbedienza, fedeltà e lealtà."

"Come si può obbedire a qualcuno che non si vede?"

"Quando ero piccolo, mi dicevano che Dio sapeva tutto, sentiva e vedeva tutto. Chiedevo a mia madre: 'Vede e osserva anche me, così piccolo, così gracile?'; lei mi rispondeva, giustamente: 'Lui è onnipotente, ti vede e se fai delle sciocchezze non sarà contento'. Un giorno ho rubato un dolce e mi sono chiuso in un baule per mangiarlo. Mi dicevo: 'Dio non mi vedrà'. Ho avuto mal di pancia, perché ho trangugiato il dolce senza masticare!"

"Se ti nascondi bene, Dio non può vederti!"

"In realtà, Dio ha il potere di vedere anche quello che è nascosto."

"Le persone cattive, che fanno la guerra e allo stesso tempo pregano e dicono di adorare Dio, sono dei bugiardi."

"Dio li chiama 'ipocriti'; ha consegnato a Maometto un intero capitolo sugli ipocriti. Li condanna."

"Spiegami la parola 'ipocrita'."

"È ipocrita colui che ha due facce, colui che tradisce la verità facendoti credere che dice la verità. L'ipocrita è un traditore e un bugiardo."

Terzo giorno

"Torniamo adesso alla storia della nascita dell'islam."

"Ma prima di continuare, quale lingua parlava l'angelo, sai... quella luce straordinaria che circondava Maometto?"

"L'arabo."

"Allora Dio è arabo!?"

"No, non è né arabo né cinese, né africano né indiano. Dio è il dio di tutti gli uomini, senza alcuna eccezione. Non fa differenza fra gli esseri umani. È questo il suo messaggio."

"Allora perché non ha parlato in inglese, visto che è la lingua che parla quasi tutto il mondo?"

"Ha parlato la lingua del paese in cui si trovava il suo messaggero, Maometto. Ti ho detto che Maometto viveva in Arabia e che parlava l'arabo. Per questa coincidenza, gli arabi credono che la loro lingua sia la lingua di Dio."

"Questa lingua è la stessa che parlano i miei nonni in Marocco?"

"No, assolutamente. In Marocco si parla un dialetto arabo, diverso dall'arabo dei libri, detto arabo classico o letterario. Ma quando i tuoi nonni pregano, recitano dei versetti del Corano in arabo classico."

"E i musulmani che non sono arabi, come fanno?"

"Imparano a memoria le preghiere e le ripetono senza conoscere il significato di tutte le parole che usano. In teoria dovrebbero conoscerne il senso, ma di fatto, quelli che non parlano arabo, leggono il Corano tradotto nella loro lingua."

"Maometto come è riuscito a far sì che la gente credesse alla sua storia?"

"Dopo sua moglie, che aveva capito immediatamente che Maometto diceva la verità, fu suo cugino Alì a dargli ragione e a convertirsi all'islam; poi Abu Bakr, il suo migliore amico, un uomo molto rispettato; poi il figlio adottivo Zayd, poi Bilal, il servitore negro di Abu Bakr. Bilal era uno schiavo. Maometto lo affrancò, cioè lo rese libero, e lo scelse per eseguire il richiamo alla preghiera, cinque volte al giorno. È il primo 'muezzin' dell'islam. Dovranno passare alcuni anni e saranno necessarie alcune battaglie perché i membri della sua tribù seguano il suo esempio."

"Esistevano gli schiavi?"

"Sì, la schiavitù è esistita in tutte le società. Maometto, affrancando Bilal, ha dato l'esempio affinché tutti coloro che avevano degli schiavi facessero come lui. Purtroppo, però, non lo hanno imitato."

"La gente non era d'accordo con lui?"

"No, non tutti. Maometto avrà dei nemici anche all'interno della sua stessa tribù."

"Ma non faceva del male, giusto?"

"Certo, era un uomo buono ma, come dice una canzone, 'la gente non ama che si segua una strada diversa dalla propria'."

"Diceva di fare il bene e di non tradire..."

"Sì, ma devi capire che prima di questa storia della Rivelazione, prima che Maometto diventasse un messaggero di Dio, i popoli arabi facevano quel che volevano, non avevano regole rigorose da rispettare; inoltre, credevano che le divinità fossero costituite da statue di pietra. Maometto arriva e dice a questi popoli che Dio è Verità, Dio è Giustizia, Dio è Spirito; che per vivere insieme è necessaria una morale, una spiritualità; che bisogna adorare un Dio che non è materializzato in un oggetto; che esistono l'inferno e il paradiso; che i beni di questo mondo non sono importanti, che bisogna pregare cinque volte al giorno, che bisogna meditare e credere in un Dio che è molto misericordioso ecc."

"La gente non gli crede..."

"No, non gli crede subito. Lui arriva e stravolge le loro abitudini. Quindi lo combattono. In un versetto del Corano (sura IX, versetto 5) Dio condanna queste persone: 'Uccidete gli idolatri dovunque li troviate, prendeteli, circondateli, appostateli ovunque in imboscate. Se poi si convertono e compiono la Preghiera e pagano la Decima, lasciateli andare, poiché Dio è indulgente e clemente'."

"Gli idolatri sono coloro che non credono in un solo Dio, giusto?"

"Sono dei politeisti; credono in più divinità, nelle pietre, in idoli di pietra."

"E allora cosa farà Maometto?"

"Maometto attraverserà un momento molto difficile: nel 620 perde sua moglie, il padre adottivo e lo zio Abu Talib. Si ritrova solo a lottare contro la gente della sua tribù, che cerca di ucciderlo. Con Abu Bakr e Ali, allora, lascia La Mecca. Si rifugiano in una grotta per sfuggire agli uomini armati che li inseguono per ucciderli. Nell'islam non esistono miracoli come nelle altre due religioni, ma si dice che l'ingresso a questa grotta sia stato bloccato da una tela di ragno che è riuscita a proteggere Maometto e i suoi due amici."

"Capisco adesso perché mi dici di non uccidere i ragni! È un animale sacro!"

"Di certo, grazie a quella tela, il profeta si è salvato. In seguito, andrà in un'altra città, Medina, dove starà al sicuro. A partire da questo momento – il 622 – inizia l'era musulmana. Questo anno verrà definito l'anno 1 dell'Egira."

"Cos'è l''Egira'?"

"La parola viene dal verbo *hagara*, che vuol dire 'emigrare', andare in un'altra città o in un altro paese."

"Allora Maometto è un emigrato!"

"Sì, è stato costretto a fuggire per continuare a ricevere e a trasmettere i messaggi di Dio. E da allora inizia l'era musulmana. Il calendario seguirà l'apparizione della luna. È per questo che non si sa mai, a priori, la data precisa dell'inizio del mese. A partire da Medina, l'islam a poco a poco si organizzerà e definirà i cinque precetti che vengono detti 'i cinque pilastri dell'islam'; pilastro significa fondamento, ciò che sostiene una casa."

"Cosa sono i 'precetti'?"

"Sono delle regole, dei comandamenti, degli ordini."

"Quali sono, allora, le regole dei musulmani?"

"Sono cinque e il loro rispetto fa di te un musulmano, o una musulmana. La prima regola è la 'shahada', la testimonianza di fede, cioè il fatto che tu devi accettare dentro di te l'idea che esiste solo un Dio, Allah, e che Maometto è il suo profeta. Bisogna pronunciare questa frase. È la frase che ogni musulmano dice in punto di morte. Si dice: lui testimonia. La persona alza l'indice della mano destra e dice: 'Dichiaro che non c'è divinità se non Dio e dichiaro che Maometto è il suo messaggero (o profeta)'."

"Puoi dirlo in arabo?"

"Ashadù anna La Ilaha illa Allah, Mohammed rassùl Allah."

"Si può dire questa stessa frase anche quando non si sta per morire?"

"Certo."

"Tu la dici?"

"Certe volte."

"Come si fa per esserne sicuri?"

"È questione di fede; si tratta cioè di una certezza, di un'evidenza; nessuno può riuscire a dimostrarti il contrario di ciò in cui tu credi. Per i musulmani, è fondamentale pronunciare questa frase e soprattutto non dubitarne."

"Bisogna dirla in arabo o va bene anche in un'altra lingua?"

"In qualsiasi lingua. Quello che conta è che tu sia convinta di quelle parole."

"Supponiamo che io non ne sia convinta; cosa succede?"

"Non sei musulmana. Tutto qui."

"Seconda regola?"

"La 'preghiera'. Ce ne sono cinque al giorno: la prima all'alba; la seconda quando il sole è allo zenit; la terza a metà pomeriggio; la quarta al tramonto del sole e l'ultima di notte. Tutte queste preghiere vanno fatte guardando alla Mecca."

"Si è obbligati a recitarle nel momento in cui viene annunciato il richiamo alla preghiera?"

"No, se stai lavorando, se non hai avuto il tempo di fare le abluzioni, puoi accumularle e farle tutte a fine giornata. Se sei ammalato, le puoi fare più tardi. Se sei handicappato, le puoi fare mentalmente."

"Hai già parlato delle 'abluzioni'; puoi precisarmi perché e come si fanno?"

"Quando si prega, si suppone che ci si rivolga a Dio, dunque bisogna essere puliti; le abluzioni sono i lavaggi che si fanno immediatamente prima di pregare. Ma attenzione, esistono due tipi di abluzioni: le abluzioni complete, che consistono nel lavarsi tutto il corpo dopo un rapporto sessuale, e le abluzioni semplici, che consistono nel lavarsi il viso, gli avambracci e i piedi."

"Se ci si deve lavare cinque volte al giorno, si vince il record dell'igiene!"

"Hai ragione, Maometto diceva che la buona igiene deriva dalla fede."

"Cosa si recita nelle preghiere?"

"Si rende gloria a Dio e al suo profeta. Si recita la prima sura del Corano."

"Quella in cui l'angelo dice a Maometto: 'Leggi!'?"

"No, il Corano non è scritto nell'ordine in cui i versetti sono stati rivelati. Il Corano inizia con una sura breve che si chiama *fatiha*, 'esordio'. A ogni preghiera, si celebra e si rende gloria non solo al profeta Maometto, ma anche agli altri profeti: Abramo, Mosè e Gesù. In arabo Ibrahim, Musa e 'Isa."

"Il terzo pilastro?"

"Il digiuno durante il mese del 'Ramadàn'. Il musulmano deve astenersi dal mangiare e dal bere, dall'alba al tramonto, per un mese. Sperimenta così la fame e la sete e mette alla prova la sua capacità di resistere alle tentazioni e la capacità di meditare sulla vita e l'aldilà. È un mese in cui deve consacrarsi al raccoglimento, alla preghiera e all'esame del suo stile di vita. La fine del Ramadàn è celebrata da una festa chiamata *Aid al-seghir* ('piccola festa' rispetto all'*Aid al-kabir* che viene celebrata due mesi e dieci giorni dopo e che è la festa del sacrificio)."

"Tutti devono smettere di mangiare e bere?"

"No, i bambini che ancora non hanno raggiunto l'età della pubertà e le persone malate non devono fare il digiuno. Nemmeno le donne, quando hanno le mestruazioni."

"L'altro pilastro?"

"L'elemosina, che viene detta 'zakat'. È una parte del denaro che il credente ha guadagnato durante l'anno; la distribuisce ai poveri e ai bisognosi. Deve farlo discretamente, non bisogna vantarsi né indicare i poveri per poi umiliarli. Devo dire che questa pratica oggi è superata, ma la cosa non impedisce alla persone di aiutare chi è in difficoltà.

L'altro pilastro, regola o precetto, è il pellegrinaggio alla Mecca, detto 'hagg'. Il musulmano fa il viaggio fino alla Mecca e Medina per pregare in raccoglimento sulla tomba del profeta Maometto e fare il giro della *kaaba* cercando di toccare con mano la famosa Pietra Nera. Il pellegrinaggio si svolge tutti gli anni in occasione dell'*Id al-Adha*, meglio nota come festa del montone, la festa che celebra il sacrificio di Abramo, il padre dell'umanità che era pronto a sacrificare suo figlio, se Dio non gli avesse dato, al suo posto, un agnello da sgozzare. È una festa molto popolare. Per molte persone, è l'occasione per mangiare carne."

"Anche non mangiare carne di maiale è una regola?"

"L'islam si è ispirato ai divieti della religione ebraica. Sostiene che non bisogna mangiare carne di maiale perché quest'animale si nutre di tutti i rifiuti che finiscono nella spazzatura."

"Ma oggi i maiali vengono allevati in condizioni igieniche buone, come le pecore."

"Sì, ma è difficile rimettere in discussione una legge religiosa. L'altro divieto riguarda l'alcool. Ci sono tre versetti, rivelati in epoche diverse, che vietano il consumo di bibite che sono fermentate. L'uomo che si ubriaca perde il controllo di se stesso e l'islam insiste sul controllo di se stessi e sulla libertà dell'uomo, che lo rende responsabile."

"Non bere alcol significa essere liberi?"

"L'essere umano è libero quando ha la possibilità di scegliere. L'uomo può bere o non bere. Ma se beve e si ubriaca, deve essere responsabile di quello che fa."

"Ci sono altre cose proibite?"

"Sì, il gioco d'azzardo e speculare col denaro. Questi divieti sono meno seguiti degli altri e sono considerati meno importanti. Va aggiunto a questi divieti il fatto che una donna musulmana non ha il diritto di sposare un uomo non-musulmano a meno che questi non si converta all'islam."

"Ma gli uomini possono sposare delle donne non-musulmane, mi pare!"

"Sì, hanno diritto a sposarsi con donne non-musulmane."

"Non è giusto."

"È perché il nome, poi, deriva dal padre e non dalla madre."

Quarto giorno

"È da Medina, dove si è rifugiato, dove si sente al sicuro, che Maometto organizzerà la sua battaglia perché più gente possibile diventi musulmana, perché si formi una comunità solidale di persone unite intorno alla fede in un unico Dio. Maometto combatterà contro le tribù che minacciano i musulmani. Farà sì che anche i suoi nemici finiscano per convertirsi all'islam, come Abu Sufyan, il capo di una tribù che lo aveva combattuto. Dai racconti dei testimoni dell'epoca, Maometto sembra un uomo d'azione, un capo militare e un capo politico. Con lui, nasce la nozione di *umma* islamica. La *umma* è la comunità, l'insieme dei musulmani. Nel 632, Maometto va alla Mecca per fare il pellegrinaggio intorno alla *kaaba*. Si racconta che alla partenza si sarebbe girato verso la *kaaba* e avrebbe detto: 'Quanto è bello questo tempio! Di più grande e di più bello esiste solo la dignità umana!'"

"Cos'è la 'dignità'?"

"È il rispetto di se stessi, è il senso di fedeltà ai valori e alle qualità che fanno sì che un uomo sia fiero di essere tale. La mancanza di dignità è la bassezza, è l'assenza di ogni valore, è il fatto di rinunciare a essere un uomo giusto e coraggioso. Il profeta metteva la dignità al di sopra della bellezza della *kaaba* – il che dice l'importanza che dava a questa qualità che ogni essere umano deve avere."

"Cosa è successo in seguito?"

"Ha sentito che Dio lo avrebbe richiamato a sé e che la sua missione stava per finire. È ripartito quindi per Medina, dove è morto l'8 giugno 632."

"Chi lo ha sostituito?"

"Nessuno. Era un profeta, l'ultimo messaggero di Dio sulla terra. Dio lo ha mandato agli uomini e poi lo ha richiamato a sé. Il suo amico e compagno Abu Bakr si assunse la guida della preghiera, in nome di tutti i musulmani. Venne eletto da una parte della popolazione come 'califfo', cioè come capo dei musulmani che seguivano le regole lasciate da Maometto – i musulmani detti 'sunniti'. Altri hanno preferito Ali, il cugino di Maometto. Furono detti 'sciiti' e sono entrati in conflitto coi sunniti quando anche Ali volle diventare, a sua volta, califfo. Oggi gli sciiti rappresentano il 10 per cento dei musulmani del mondo. Si differenziano dai sunniti perché si danno dei rappresentanti chiamati *mollah*."

"Ho visto alla televisione dei musulmani che si battevano il petto, è normale?"

"Sono degli sciiti, esprimono il loro dolore procurandosi del male."

"Quale dolore?"

"Poiché il loro capo, Hussein, uno dei figli di Ali, è stato ucciso nel 680 durante una battaglia che si chiama Kerbala, gli sciiti si sono sentiti colpevoli per non averlo protetto e salvato. È per questo che tutti gli anni a questa data corrisponde un giorno di lutto. Alcuni esagerano autoinfliggendosi delle punizioni e dandosi dei colpi violenti, fino ad arrivare al sangue.

A partire da questo momento, l'islam ha iniziato a espandersi, in quella regione e oltre. Una ventina d'anni dopo la morte di Maometto, Uthman, il terzo califfo, ha raccolto i 114 capitoli (sure) che costituiscono il Corano, il libro sacro, libro santo e parola divina."

"Tu lo hai letto, il 'Corano'?"

"Quando avevo la tua età, e anche prima di andare alle elementari, sono andato per due anni alla scuola coranica, dove ci facevano imparare il Corano a memoria. Anche se non sapevo ancora leggere, imparavo i versetti uno per uno. Li recitavo a memoria il giorno dopo; se facevo errori, ricevevo un colpo di bastone."

"E i tuoi genitori non dicevano niente?"

"Non lo sapevano; tutte le sere mi sforzavo di imparare a memoria i versetti da recitare il giorno dopo."

"Capivi quello che imparavi a memoria?"

"Non tutto. Sapevo che bisognava adorare Allah, unico Dio, che bisognava fare il bene, non mentire, non rubare, obbedire ai propri genitori, rispettare il maestro di scuola, pregare, se no Dio ci avrebbe puniti. Qualche volta avevo paura, soprattutto quando Dio parla dell'inferno e del Giorno del giudizio. Ma subito dopo questi versetti ce ne sono altri in cui si ricorda che Dio è misericordioso e perdona coloro che si sono smarriti."

"Cos'è che ti ha fatto più paura?"

"Quando il maestro della scuola coranica ci ha descritto quello che aspetta un uomo che si dà la morte, che si suicida, che sfida cioè la volontà divina. Capisci, uno che si uccide bruciandosi, rifarà questo gesto eternamente all'inferno. Colui che si butta da un palazzo, si butterà nel vuoto all'infinito. È tremendo! Vale, naturalmente, se sei credente."

"Allora, per parlare di quello che capita oggi, Dio punirà quelli che hanno ucciso gli americani?"

"Credo di sì."

"Perché non sei sicuro? Tutto quello che mi hai raccontato non è vero?"

"Tutto quello che ti ho raccontato è vero, fa parte della storia dell'umanità. Riguardo a Dio, però, certe volte capita di porsi delle domande, soprattutto quando si vedono le sofferenze, le ingiustizie, la miseria che regna nel mondo. I cristiani dicono che 'Dio è Amore'; i musulmani dicono che 'Dio è Giustizia; Dio è Verità' e così quando il mondo è lacerato dalle guerre, quando persone giovani rinunciano alla vita e si sacrificano uccidendo persone innocenti, nel nome dell'islam, sorgono degli interrogativi. È normale porsi delle domande. Solo gli animali non dubitano di nulla."

"Cosa vuol dire 'dubitare'?"

"La fede religiosa è una credenza. Credere significa accettare, fare affidamento nella parola proposta e restarle fedele. Le religioni non tollerano né il dubbio né il riso. Ora, il dubbio nasce dal non credere ciecamente, significa introdurre la ragione nel dominio della credenza. Dubitare significa porsi delle domande e sperare di trovare risposte giuste. La logica e la fede non procedono sempre insieme."

"E tu, sei credente?"

"Quando si è razionali, non è facile essere credenti, come possono immaginare le persone che hanno fede. Diciamo, per rispondere alla tua domanda, che io credo che esista una spiritualità, qualcosa di misterioso e di bello insieme, che allo stesso tempo mi intimorisce molto. Lo si può chiamare Dio. Mi sento molto piccolo davanti all'immensità dell'universo e non sono capace di capire tutto. Come ha detto un filosofo, 'l'intelligenza è l'incomprensione del mondo'."

"Non ho capito niente."

"Non bisogna fidarsi delle persone che pretendono di avere risposte a tutte le domande che l'uomo si pone. Sono i fanatici a dire che la religione risponde a tutti gli interrogativi sul mondo. È impossibile."

"E l'islam?"

"Questa religione ha dato al mondo una bella civiltà, una civiltà molto importante. Prima che venisse offesa, come oggi succede, da gente impazzita o ignorante, la cultura islamica è stata, per tre secoli, fra il IX e il XII secolo, al livello più alto del progresso e della cultura mondiali.

Quinto giorno

Per raccontarti quest'epoca magnifica detta 'età d'oro degli arabi', e prima di arrivare alla situazione odierna che, come tu hai notato, è particolarmente critica per i paesi arabi e musulmani, ti chiederò di immaginare un sogno, di entrare in un mondo meraviglioso in cui regnano la pace, la saggezza, l'armonia, la curiosità per tutto ciò che è diverso, un mondo in cui i bambini sono felici di andare a scuola perché non imparano soltanto i versetti del Corano a memoria, ma sono iniziati molto presto alle lingue straniere, alla musica, anche alla scienza."

"Chiudo gli occhi e mi lascio guidare dal tuo racconto!"

"La religione musulmana inciterà gli arabi a diffondere il messaggio di Allah attraverso il mondo. Gli arabi andranno in Medio Oriente (la Siria, l'Egitto e l'Iraq, chiamato all'epoca Mesopotamia), in Asia, in Persia, nel Maghreb. Queste conquiste non furono sempre pacifiche. Ci sono state guerre, resistenze, morti. È normale, perché gli eserciti arabi occuparono dei paesi senza domandare il parere delle popolazioni. Erano delle vere e proprie conquiste. Si stabilivano spesso vicino alle oasi, ai fiumi, nei campi in cui preparavano le nuove spedizioni. Ci sono stati poi anche conflitti interni ai clan musulmani. A poco a poco, grazie all'espansione dell'islam, gli arabi hanno creato un loro impero. La cultura araba si svilupperà e si arricchirà perché saprà aprirsi al mondo. La lingua del Corano sostituirà il greco e il persiano, al punto che uno storico iraniano del X secolo dirà: 'La lingua araba è depositaria di tutte le arti della terra; penetra profondamente i nostri cuori, il suo potere ci affascina nel più segreto del nostro essere...'"

"Cosa vuol dire 'depositario'?"

"In questa frase, significa che la lingua araba contiene tutto il sapere, che da lei nascono le opere d'arte, la poesia, le scienze, la medicina ecc., tutto ciò che fa evolvere l'umanità e la rende migliore."

"Tutti parlavano arabo, allora!?"

"No, non tutti i paesi, ma la lingua araba all'epoca era diventata tanto importante quanto il greco nella storia dell'antichità."

"Non conosco l'importanza del greco nell'antichità, ma suppongo che l'arabo fosse insegnato in tutte le scuole, non come oggi."

"Tutti imparavano l'arabo perché i sapienti musulmani arabi si erano messi a fare un enorme lavoro di traduzione di tutto ciò che le altre lingue avevano prodotto di importante. Così hanno tradotto filosofi greci, opere in persiano, in indiano."

"Spiegami la parola 'filosofia'."

"È l'amore della saggezza e del sapere. In filosofia, si impara a pensare studiando tutto ciò che gli antichi hanno già scoperto e già scritto."

"Bene, diciamo che ho capito!"

"Ripeto, la filosofia è lo studio di quello che pensiamo. È per questo che, nel momento in cui gli arabi hanno tradotto e pubblicato gli studi filosofici dei greci, hanno reso un grande servizio all'intera umanità. Tutto il mondo ha scoperto i grandi filosofi greci grazie agli arabi. La lingua araba è diventata prima in tutto. La scienza, la medicina, le matematiche, la geografia, l'astronomia, tutto era insegnato in arabo. Il profeta Maometto, proprio lui che non aveva avuto la fortuna di andare a scuola, diceva che ogni musulmano deve andare alla ricerca della scienza ovunque, nel mondo."

"Quando i musulmani occupavano un paese, le persone venivano costrette a imparare l'arabo?"

"Non erano costrette, ma all'epoca, se si voleva studiare, proseguire negli studi, imparare molte cose, era necessario conoscere la lingua araba. La lingua dell'islam si è imposta in tutto il mondo come la lingua parlata e scritta più importante. Dal IX secolo in poi, la lingua della scienza fu l'arabo, dalla Spagna alla Cina. La ricerca scientifica, che consente di fare scoperte, si faceva in arabo, che si fosse a Baghdad, a Damasco, al Cairo o a Granada, in Spagna, o a Palermo o a Samarcanda. Ovunque si costruivano università e biblioteche che venivano chiamate 'Case della saggezza'."

"Cos'era una Casa della saggezza?"

"Era un centro in cui si riunivano le persone che volevano approfondire i loro studi, discutere con persone più sagge o più anziane o con più esperienza, un luogo in cui tutto era fatto per facilitare l'acquisizione del sapere e delle conoscenze."

"E la gente le frequentava?"

"Sì, c'era una grande sete di sapere, un grande ardore nello studio; la gente scopriva il mondo, culture diverse, lingue diverse."

"Chi incoraggiava le traduzioni e gli studi?"

"I califfi, cioè i capi del paese, coloro che diffondevano l'islam; c'erano poi anche persone ricche che davano denaro per tradurre opere importanti e per costruire Case della saggezza, cioè della cultura."

"Anche gli europei parlavano arabo?"

"No, gli europei approfittavano delle scoperte e delle traduzioni fatte dagli arabi per fare progressi nella propria cultura."

"Qual era la capitale di questo impero arabo?"

"Era Baghdad, la città principale dell'Iraq. Il califfo più celebre si chiamava Harun Al-Rashid, quello di cui si parla nelle favole delle *Mille e una notte*. Ha vissuto all'inizio del IX secolo. Fu da Baghdad che alcuni saggi e alcuni studenti partirono, alla ricerca di manoscritti di scienze, medicina o filosofia destinati a essere tradotti in arabo."

"Ma gli arabi non facevano che tradurre libri?"

"No, scrivevano, facevano ricerche nell'ambito delle scienze, della medicina, per esempio; costruivano università, 'madrasa', cioè scuole religiose, biblioteche, moschee, palazzi ecc. Il fatto che traducessero molto significa che non si consideravano dei sapienti che non hanno nulla da imparare. Al contrario, il vero uomo di cultura è colui che dice di imparare sempre qualcosa dagli altri. Gli arabi volevano sapere ciò che gli altri popoli che non erano né musulmani né arabi pensavano e ciò che facevano nel campo delle scienze e delle lettere, dell'architettura, del commercio..."

"Mi spieghi come si fa a tradurre?"

"Passare da una lingua all'altra non è facile. Si tratta di trasmettere l'equivalente di ciò che è scritto in una lingua in un'altra lingua. La traduzione è spesso il segno di una curiosità. Faccio un esempio; gli arabi, anche oggi, continuano a tradurre i libri degli scrittori europei, americani, dell'America Latina. Nelle librerie arabe tu trovi tanti (se non più) libri tradotti da lingue straniere quanti sono i libri scritti direttamente in arabo. Evidentemente gli arabi hanno sete di imparare. Se vai in una libreria americana, invece, vedrai che ci sono pochissimi libri tradotti. Una ricerca recente ha mostrato che su cento libri pubblicati dagli editori americani, solo tre sono traduzioni. Quello che pensano o scrivono gli altri popoli agli americani non interessa."

"Loro sono forti!"

"Sono ricchi, soprattutto, e pensano di non avere bisogno della cultura degli altri."

"Continua a parlarmi del tempo in cui gli arabi erano forti."

"La loro forza non era fisica. Avevano capito che la vera conquista non si fa con le armi ma con la cultura, anche se sono entrati in guerra con altri popoli."

"Dammi una definizione di 'cultura'."

"Sono tentato di dire che sia ciò che ci differenzia dagli animali. La cultura viene dalla parola 'coltivare' – si coltiva una terra, la si lavora, si piantano dei semi. L'essere umano, così come ha bisogno di mangiare e bere, di essere in buona salute, ha bisogno di imparare cos'è il mondo che lo circonda e in cui vive. La cultura è il prodotto dell'intelligenza, ciò che ci permette di sviluppare il nostro pensiero, di riflettere meglio e di restare in relazione con ciò che i nostri antenati ci hanno lasciato. La cultura si trasmette di generazione in generazione. L'insieme delle sue manifestazioni e dei suoi sviluppi si chiama 'civiltà'."

"Cosa ci hanno lasciato i nostri antenati?"

"Questa domanda mi permette di fare un passo indietro e di parlare dell'epoca dell'illuminismo arabo. Gli arabi hanno lasciato, non solo a noi arabi e musulmani, ma a tutta l'umanità, molte cose: l'algebra (è una parola araba che vuol dire 'riduzione'), lo zero, sì, il numero zero; tu mi dirai che non vuol dire nulla, e invece è la base di tutte le matematiche. In arabo zero si dice *cifr*, che vuol dire 'vuoto', da cui il termine 'cifra'. Senza entrare nei dettagli storici, devi sapere che colui che ha più di ogni altro incoraggiato i sapienti, i poeti, gli studiosi, è stato il califfo Al Ma'amun, figlio di Harun Al-Rashid. Ha governato un immenso impero la cui capitale era Baghdad, che contava all'epoca, vale a dire nel IX secolo, più di un milione di abitanti di origine e religione diverse. Nella stessa epoca, Roma, la città più popolata d'Europa, aveva solo trentamila abitanti. Si svolgevano lì incontri tra sapienti venuti dall'India, dalla Cina, dall'Europa e dal mondo arabo. Baghdad era la capitale culturale del mondo. Così tutti i martedì, il califfo invitava i sapienti e gli uomini di cultura presenti a Baghdad a passare la giornata a discutere, a riflettere, a scambiare le proprie idee e le proprie opinioni. Le Case della saggezza si moltiplicarono. La carta importata dalla Cina incoraggiò i copisti a lavorare sempre di più."

"I libri non venivano stampati?"

"No, la stampa è stata scoperta molto più tardi, nel XV secolo (colui che farà le prime prove di stampa è Gutenberg, che nasce a Magonza nel 1400). Ma sappi che la prima macchina per stampare è stata costruita a Baghdad nel 794. Altre manifatture di carta saranno create in Egitto, in Palestina, in Siria. Saranno gli arabi della Sicilia e dell'Andalusia a introdurre in Europa, insieme ai cinesi, l'industria della carta."

Sesto giorno

"Oggi ti parlerò della presenza araba e musulmana in Andalusia, nel sud della Spagna. La storia ci dice che quando gli arabi sono arrivati in Andalusia sono restati sconvolti dalla povertà culturale di questo paese. Una storica tedesca ha scritto: 'Era il nulla totale. Gli immigranti, che arrivavano a infornate dall'Arabia e dalla Siria, trovavano popolazioni incapaci di offrire loro qualsiasi cosa. Non esisteva nulla che loro potessero adottare, assimilare, imitare o sviluppare'. Insieme a Baghdad, Cordova diventerà il centro culturale più importante del mondo musulmano. Il califfo Abd Al-Rahman II regnò sulla Spagna musulmana per mezzo secolo. Fece di Cordova la città 'luminosa', splendente di cultura. Si circondò di sapienti musulmani, ebrei e cristiani, diede loro i mezzi finanziari per continuare le loro ricerche. È l'epoca in cui la poesia andalusa, la letteratura d'amore, si sviluppa in modo da influenzare profondamente e a lungo l'Occidente. Il poeta francese Louis Aragon dichiara tutto ciò che deve alla poesia araba di questo periodo nel suo *Folle d'Elsa*."

"Cosa le deve?"

"Si trattava di poesia d'amore, lirica, che cantava e piangeva l'amore. Louis Aragon, grande poeta del XX secolo, si è ispirato molto ai canti di questo periodo per scrivere il suo lungo poema d'amore a Elsa, sua moglie. E poi c'era la poesia mistica, bellissima."

"Cosa vuol dire 'mistico'?"

"Nella parola 'mistico', c'è mistero. Il mistico è colui che ha una relazione forte e interiore con Dio e che esclude ogni altro legame; questa relazione è come la fede, non la si può spiegare facilmente. La poesia mistica è la celebrazione di un amore immenso per Dio. Nel mondo musulmano, i mistici vengono detti *sufi*. La parola viene da *sof*, che in arabo significa 'lana'. I sufi, infatti, si coprivano di vestiti fatti di lana grezza e si distinguevano così da coloro che portavano vestiti lussuosi e pieni di colori. Il sufi è colui che rinuncia alle cose superficiali della vita per consacrarsi interamente alla preghiera, alla meditazione e all'amore di Dio."

"Erano poeti?"

"Sì, la cultura musulmana avrà anche degli importantissimi poeti. Il più celebre si chiama Al-Hallaj. Diceva: 'Io sono Colui che ama,' parlando di Dio. Un giorno, andò nelle strade di Baghdad e disse: 'Io sono la Verità'. Questa confusione con Dio non fu tollerata; venne considerato un indemoniato. Sarà arrestato, processato e condannato a morte nel 922. Ha lasciato delle poesie bellissime. Devi sapere che Dio diffida dei poeti. Nel versetto 224, della sura XXVI: 'E i poeti poi, che i traviati seguono,' cioè coloro che si sono persi, che hanno perso la strada. Aggiunge poi: 'Dicono quello che non fanno'."

"Ma tu un giorno mi hai detto che ciò che ami di più nel Corano è la poesia!"

"Il Corano è scritto in una lingua molto bella. La trovo piena di poesia. Ma 'poeti' nel senso del versetto citato indica coloro che si appagano del suono delle loro parole, senza agire mai. Ma non è questo che caratterizza i poeti, in generale."

"Allora tutto ciò che di buono all'epoca si faceva era arabo!"

"Diciamo che gli arabi hanno capito una cosa semplice: per progredire, per arricchirsi, non bisogna chiudere la propria casa, al contrario bisogna aprire le porte e le frontiere, rivolgersi agli altri, interessarsi a quello che hanno scritto, a quello che hanno costruito. Gli arabi volevano progredire e per questo avevano bisogno di imparare ciò che gli anziani di altri paesi avevano già fatto. L'intelligenza degli arabi è consistita nell'essere modesti e nell'accettare il fatto che saggio è colui che inizia dicendo 'non so nulla'. Sono andati a cercare la scienza là dove gli altri l'avevano sviluppata, in Grecia, per esempio."

"Perché la Grecia?"

"Perché la Grecia del III e del IV secolo a.C., cioè di 2400 anni fa, era il luogo in cui i saggi lavoravano alle matematiche, all'astronomia, alla medicina, alla filosofia."

"La cultura era tutta in Grecia?"

"No, c'era anche la Persia, l'Iran di oggi."

"Cos'è l'astronomia?"

"È lo studio degli astri e della loro posizione nel cielo."

"Gli arabi si interessavano anche al cielo?"

"Evidentemente, perché per andare in mezzo all'oceano è necessario conoscere la posizione degli astri nel cielo. Lo sai che i due primi osservatori astronomici sono stati creati rispettivamente a Damasco, nell'827, e a Baghdad?"

"Ma i greci non studiavano gli astri?"

"Sì, nel II secolo visse Tolomeo, un grande astronomo. Gli arabi hanno letto ciò che aveva scritto e hanno continuato la sua ricerca. Colui che più si ispirò a Tolomeo si chiama Ibn Al-Haytham (morto nel 1040). Era un matematico, un fisico e un astronomo. Ha scritto un trattato di ottica di mille pagine che è stato la base sulla quale il mondo occidentale ha lavorato fra il XIII e il XVI secolo per orientarsi sulla terra e sul mare."

"Di cosa parla l'"ottica'?"

"Di tutto ciò che riguarda l'occhio, la vista e i mezzi tecnici per osservare le cose che l'occhio non riesce a vedere."

"Gli arabi erano forti in qualsiasi cosa!"

"Insisto, ancora una volta. La loro forza veniva dalla loro umiltà; accettavano di imparare e non dicevano di essere saggi."

"Cos'è l'"umiltà'?"

"È essere modesti, non credere di sapere tutto, non pensare che nessuno abbia nulla da insegnarci. L'umiltà è, come si dice in Marocco, 'avere la testa piccola', il contrario di essere 'testoni'. Il saggio è colui che inizia dal riconoscere che non sa granché e che deve imparare dagli altri."

"Tu mi hai detto che in certi paesi arabi il medico viene chiamato 'il saggio', *al hakim*."

"Sì, è così. La medicina araba è stata opera di grandi sapienti e, di conseguenza, di grandi saggi. Devi sapere che il più antico ospedale è stato creato da Harun Al-Rashid intorno all'800. Due grandi nomi si impongono nella storia della medicina: quello di Al-Razi, originario dell'Iran, e quello di Avicenna, nato nelle steppe dell'Asia centrale. Avicenna è colui che ha scritto in arabo il *Canone della Medicina*, un'enciclopedia in cinque volumi riconosciuta in Occidente come 'l'apogeo e il capolavoro della scienza araba'. È stato tradotto in latino nel XII secolo. Dominerà l'insegnamento della medicina in Europa fino al XVII secolo. Ti do la sua definizione di medicina: 'La medicina è la scienza che studia il corpo umano, che sia sano o malato, allo scopo di preservare la salute quando esiste già e di ristabilirla quando è andata persa'. Nello stesso periodo, un medico, Al-Zaharui, fa avanzare la scienza della chirurgia e degli strumenti chirurgici. È solo nel XIII secolo che la chirurgia si impone in Europa; la religione cristiana, infatti, non vedeva di buon occhio questa scienza e per questo si è sviluppata in ritardo. Vedi, oggi si accusano i musulmani di essere in ritardo. Ma anche i cristiani lo sono stati."

"È vero, essere musulmano, in questo momento, è difficile!"

"Perché dici questo?"

"Non sono io a dirlo, l'ho sentito alla televisione."

"È vero, i musulmani sono fraintesi e malvisti, in questo momento. Ma prima di arrivare a queste conclusioni, lascia che ti dia qualche esempio di persone musulmane che sono state in anticipo su tutto il mondo."

"In quale campo?"

"In letteratura, per esempio. Conosci le *Favole* di La Fontaine?"

"Sì, certo."

"Allora sappi che ben prima di La Fontaine uno scrittore arabo, Ibn Al-Muqaffa (VIII secolo), ha tradotto e adattato in arabo dei racconti e delle favole indiane dal titolo *Kalila e Dimna*. La Fontaine leggerà questo libro in traduzione francese nel 1644. Prenderà spunto da quello per scrivere le sue favole sugli animali."

"La Fontaine ha copiato!"

"No, non ha copiato, ma è stato un uomo intelligente che ha saputo prendere quello che c'era da prendere e l'ha scritto per i bambini francesi. Senza Ibn Al-Muqaffa, tuttavia, probabilmente non ci sarebbero state le favole di La Fontaine."

"Fammi un altro esempio!"

"Conosci la storia di Robinson Crusoe?"

"Sì, l'abbiamo letta in classe."

"Nel XII secolo, un uomo che viveva a Granada, poi a Tangeri e a Marrakech, ha scritto un libro, *Hay Ibn Yaqdan*. È la storia di un uomo solo su un'isola deserta. Scoprirà da solo le grandi verità della vita che portano a ciò che si dice 'la luce di Dio'. Un profeta venuto da un'isola vicina gli confermerà che le verità rivelate dalla religione sono le stesse che lui è riuscito a scoprire da solo. Quest'opera ha preceduto di cinque secoli il libro di Daniel Defoe."

"Un altro esempio!"

"Marco Polo è noto per aver fatto il giro del mondo. Ben prima di lui un arabo, Ibn Battuta, nato nel 1304 a Tangeri, ha fatto due volte il giro del mondo. Ha lasciato un diario in cui racconta quello che ha visto e sentito."

"E poi?"

"Un italiano di Amalfi, Flavio Gioja, viene spesso considerato l'inventore della bussola. In realtà, sono i navigatori arabi che gli hanno fatto scoprire questo strumento che permette di orientarsi per mare e per terra. Le navi commerciali arabe furono i maestri del mare, a partire dal XII secolo. È solo nel 1302 che Flavio Gioja scoprirà in un libro l'esistenza di questo strumento inventato dagli arabi."

"D'accordo! Gli arabi hanno inventato molte cose. E oggi, non inventano più niente?"

"Per capire lo stato attuale dei paesi arabi e musulmani, ho bisogno di raccontarti ancora un po' di storia. Se mi hai seguito, l'islam è stato ciò che ha spinto gli arabi a percorrere il mondo, allo scopo di diffondere il messaggio del profeta e di convertire più gente possibile a questa nuova religione. Uscendo dal loro territorio, gli arabi scopriranno un altro mondo e vorranno istruirsi e partecipare all'evoluzione dell'umanità. È quello che succederà. Ci saranno battaglie, morti, conflitti all'interno dell'islam. Quando i musulmani occuperanno un paese, prenderanno sotto la loro protezione i cristiani e gli ebrei. Questi dovranno loro un'imposta."

"Comprano la loro protezione?"

"In quanto minoranza, sì."

"Minoranza?"

"Nei territori islamici, gli ebrei e i cristiani (che i musulmani chiamano 'i popoli del Libro' perché hanno una religione fondata su un libro santo, come il Corano per i musulmani) non erano numerosi, costituivano quella che si chiama una minoranza; versavano quindi una somma di denaro direttamente al governo, in cambio di una garanzia di sicurezza fisica e morale."

"Perché si doveva pagare, per vivere con i musulmani?"

"Forse i musulmani volevano spingere ebrei e cristiani a convertirsi all'islam... Ma non durò a lungo. In ogni caso, fra il IX e il XII secolo, sono intelligenza, sapere e cultura a orientare le azioni dei musulmani. Dopo Avicenna (980-1037), le cui teorie saranno insegnate in Europa fino al XVII secolo, dopo Al-Farabi, che ha istituito un quadro generale delle scienze, arriva Averroè – un'altra figura importante."

"Più degli altri?"

"Sì, perché va ancora più in là dei suoi predecessori. Lui nasce un secolo dopo Avicenna. Nato a Cordova nel 1126, muore in esilio in Marocco nel 1198."

"Perché è andato in esilio in Marocco?"

"Averroè era soprattutto un filosofo; è lui che ha raccolto l'eredità del filosofo greco Aristotele e l'ha trasmessa all'Occidente. Era anche un grande giurista musulmano."

"Cosa vuol dire 'giurista'?"

"Il giurista è colui che studia il diritto, cioè le regole e le leggi alla base di ogni società. Colui che definisce i criteri della giustizia."

"Bene, allora Averroè era amico della saggezza e della giustizia."

"Cerca di introdurre la Ragione al cuore della fede."

"La ragione è la logica, la fede è la credenza; giusto?"

"Sì. Infatti Averroè cerca di attribuire una certa logica al fatto di credere. In seguito fa notare che la religione musulmana viene utilizzata con secondi fini. Ci sono infatti sette, clan di persone che rifiutano di discutere e soprattutto di accettare il contributo degli stranieri. Nascono delle dispute. La Casa dell'islam non è più la Casa della saggezza. Averroè denuncia tutto ciò, ma a Cordova i politici non condividono il suo parere. Per questo fugge e chiede protezione in Marocco. Da questo momento, la cultura musulmana sarà contaminata dal fanatismo e dall'intolleranza. Ma non sono questi gli unici segni della decadenza araba; inizia anche il periodo delle crociate."

Settimo giorno

"Cosa vuol dire 'decadenza'?"

"Indica qualcosa che si degrada, che declina, che, invece di andare verso il progresso, prende la strada della discesa e della caduta. Una casa che non è più frequentata, che non è più abitata o che è mal abitata, si degrada, cade in rovina, al suo interno non funziona più niente. Una cultura è come una grande casa. Se le sue fondamenta sono solide, le sue pareti fatte con una buona pietra, se le persone che la frequentano la arricchiscono di continuo, le danno aria e l'abbelliscono, si manterrà bene. In fondo, è un po' più complicato, ma una cultura fondamentalmente è un insieme di acquisizioni, fatto di eredità e di rielaborazione di quanto gli antenati hanno tramandato. Bisogna saper prendersi cura di una cultura, come di una casa antica e bella."

"La cultura araba non è stata coltivata bene?"

"Dopo la sua età di gloria e splendore, ha ricevuto dei brutti colpi, in primo luogo perché all'interno della sua grande casa sono nate delle divisioni. Rivalità, appetiti sempre più grandi hanno occupato l'animo dei califfi; questi uomini di governo non pensavano più all'interesse generale, ma agli interessi particolari dettati dal loro egoismo. I regni di Baghdad e di Cordova erano sunniti, cioè si situavano nella tradizione classica del profeta, il califfato fatimi-da al Cairo invece era sciita, cioè sostenitore di Ali..."

"Come si manifestavano queste divisioni?"

"Dal 1055 i califfi si rivolgono a mercenari selgiuchidi (venuti dall'odierna Turchia) per la difesa del proprio terri-torio. Questo esercito selgiuchida, per esempio, impedirà ai cristiani di accedere ai luoghi santi di Gerusalemme. Sarà così che i turchi prenderanno il potere politico."

"Cosa succede allora?"

"Il papa Urbano II approfitterà di questa situazione di divisione del mondo arabo e di questo arrivo di solda-ti mercenari per scatenare le crociate contro i musulmani dal 1096 al 1099. All'inizio, risponde a un appello lanciato dall'imperatore bizantino in difesa della capitale – Costan-tinopoli –, minacciata dai musulmani selgiuchidi. Poi, gli eserciti cristiani porteranno avanti le loro personali guerre di conquista."

"Da dove viene la parola 'crociata'?"

"Dalla parola 'croce', essendo la croce il simbolo dei cri-stiani, poiché Gesù era stato crocifisso. La crociata consiste nell'andare a far la guerra nel nome del cristianesimo contro coloro che si oppongono a questa religione o che ne osta-colano l'espansione. In quell'epoca, l'islam non smetteva di diffondersi e di brillare, in tutti i campi. Complessivamente i cristiani organizzeranno sei spedizioni armate. L'ultima si svolgerà nel 1223. I principi cattolici prendono Cordova nel 1236, poi Siviglia nel 1248. Per la civiltà araba e musulmana si tratta di sconfitte politiche e militari. Resisterà solo Gra-nada. Sarà l'ultimo baluardo della cultura araba in Euro-pa. Cadrà nelle mani dei re cattolici nel 1492. È la fine di un'epoca e di una grande civiltà. Il mondo cambia. Il 1492 è l'anno in cui Cristoforo Colombo scopre l'America."

"Cosa succede agli arabi dell'Andalusia?"

"In Andalusia vivevano ebrei e musulmani. Saranno entrambi cacciati, espulsi dalla Spagna. A coloro che vorranno restare si dirà: avete la scelta fra due possibilità: il battesimo o la morte."

"Cosa significa?"

"Diventare cristiano o morire. Molti hanno scelto di convertirsi al cattolicesimo. Ma, malgrado questa conversione, continueranno a essere perseguitati, perché in fondo a se stessi non hanno rinunciato davvero alla propria fede. Vengono chiamati mori. Saranno perseguitati e deportati in massa fuori dalla Spagna. È il fenomeno chiamato Inquisizione. Finirà il 22 settembre 1609. La Spagna cattolica assorbirà, senza mai riconoscerlo, tutto ciò che gli arabi hanno portato in questa regione. Fra i musulmani che sono dovuti fuggire da Granada quando i cattolici riconquistarono questi territori, c'era un geografo, Leone l'Africano. Col suo vero nome, Hassan Al-Wazzan (il pesatore) ha vissuto molti anni a Roma, accanto a Leone X (1518). Ha insegnato arabo e italiano, ha introdotto alla corte di questo papa dei testi greci tradotti in arabo che poi ha tradotto in latino. È stato il simbolo di un ottimo rapporto tra Oriente e Occidente."

"Cosa ne sarà dei musulmani e degli arabi?"

"Il mondo arabo sarà isolato; gli sarà vietato di avere relazioni commerciali con l'Europa; la filosofia araba continuerà a essere insegnata nelle università europee ma, nello stesso tempo, smetterà di svilupparsi e soprattutto di essere studiata nel mondo arabo-musulmano."

"E cosa si studia al posto suo?"

"Al posto della filosofia che ci insegna il metodo, il dubbio e la riflessione, che ci apre orizzonti diversi e molteplici sul pensiero degli altri popoli, verrà insegnata solo e unicamente la religione islamica. Ora, chi dice religione, dice credenza, assenza di riflessione e di dubbio. Da una tradizione di apertura al mondo si passa all'isolamento, alla chiusura su se stessi. È un impoverimento. Sarà molto grave per il mondo arabo e musulmano. Il risultato lo si vede oggi. Quando si è stati vinti, si pagano le conseguenze della sconfitta a lungo, molto a lungo."

"Cosa succede fra il XVI secolo e oggi?"

"Molte cose. Ma cerchiamo di capire perché il mondo arabo attraverserà una lunga fase di declino."

"Cos'è il 'declino'?"

"Declinare vuol dire abbassarsi di livello e qualità. Di una persona malata si dice che la sua salute declina, se una persona vede male, che la sua vista declina, se non sente bene, che il suo udito declina. È come una decadenza. Manifesta i segni di una lenta caduta."

"Allora perché il declino?"

"L'acquisizione del sapere, le traduzioni, gli incontri fra saggi, la libertà filosofica, tutto questo era voluto, finanziato e protetto dai principi. Questa apertura rispondeva al bisogno di capire il mondo per governare bene un impero molto vasto in cui non vivevano solo popoli arabi. Il giorno in cui i principi si sono messi a litigare fra di loro, i sapienti e i filosofi non hanno più trovato sostegno né politico né finanziario per continuare a lavorare."

"Dimmi il nome di un saggio arabo importante."

"Se devi ricordarti un solo nome di un grande saggio arabo, ricordati il nome di Ibn Khaldun: ha scritto un'opera di portata universale. È l'inventore di quella che oggi viene detta 'sociologia', cioè lo studio dei fatti e dei comportamenti della società. Ha vissuto tra la fine del XIV secolo e l'inizio del XV secolo nell'Africa del Nord (1332-1406). Ha studiato la mentalità e il comportamento degli arabi, li ha osservati a lungo e li ha molto criticati. Ha aperto la strada alla critica e anche al cambiamento. Metteva in guardia i califfi dalle persone non qualificate che si incaricavano dell'insegnamento religioso e che ne approfittavano per disperdere il popolo. Era anche contro il fatto che alcuni utilizzassero le moschee per insegnare altro dal Corano. Già alla sua epoca, vedeva il pericolo insito nell'utilizzare l'islam per ragioni che non hanno niente a che fare con la religione. Era un visionario. Ha dimostrato l'influenza che può avere il clima sull'umore e le mentalità dei popoli. Bisognerà attendere la fine del XIX secolo, l'inizio del XX, perché menti intelligenti e aperte, come quella di Ibn Khaldun, propongano all'islam delle riforme."

"Cosa sono le 'riforme'?"

"Si tratta di cambiare alcune regole e alcune abitudini nel modo di praticare la religione. Sono da ricordare i nomi di Afghan Jamal Edine Al-Afghani (morto nel 1897), dell'egiziano Mohammed Abduh (morto nel 1905). Raccomandavano il dialogo, la tolleranza e soprattutto l'adattamento al mondo moderno. Dicevano che non si deve accettare ciecamente ciò che gli antichi maestri imponevano come regole di condotta dell'islam. Per cambiare le cose nel mondo musulmano, si basavano su un versetto del Corano che dice: 'Iddio non muta mai la Sua Grazia ad un popolo, avanti ch'essi non mutino quel che hanno in cuore' (sura XIII, versetto 11). Ciò vuol dire che se oggi i musulmani sono malvisti nel mondo, non è sempre per colpa degli altri, dei non-musulmani. Bisogna che i musulmani si decidano a cambiare ciò che è cattivo o malato all'interno della loro società. Anche se dei non-musulmani hanno fatto del male ai popoli islamici, non bisogna attribuire loro tutto ciò che non funziona in questo paese. Ognuno ha la sua parte di responsabilità. Le crociate sono un ricordo lontano, la colonizzazione anche. Se fra i musulmani ci sono dei giovani diventati violenti e fanatici, ciò dipende dal fatto che la loro educazione è stata cattiva, sono stati lasciati nelle mani di persone ignoranti e senza scrupoli. Si sono, come dice il Corano, smarriti. Sono nell'errore. La radice del male non è sempre negli altri."

"Cosa sono gli 'scrupoli'?"

"Sai come viene chiamato il sassolino che entra nella scarpa e ti dà fastidio mentre cammini?"

"No; un sassolino che ti dà fastidio?"

"Si chiama 'scrupolo', perché è il grano di sabbia che impedisce all'uomo buono di dormire. L'uomo è disturbato da questo qualcosa, che può essere una legge, una regola, un principio. Le persone senza scrupoli dormono senza problemi. Non sono preoccupati dal non rispetto dei principi."

Ottavo giorno

"Quali sono gli eventi principali del mondo arabo dal momento in cui inizia la sua decadenza?"

"Dall'impero arabo-musulmano si passerà all'impero ottomano, cioè turco. I turchi si stabiliranno in Egitto, in Libano, in Siria, in Iran, in Tunisia, in Algeria. Il Marocco resisterà e sfuggirà al loro dominio. Il XVI secolo ha rappresentato l'apogeo della potenza militare ottomana. L'islam è la religione di stato. Nel XIX secolo, questo grande impero declina. Dopo la prima guerra mondiale, la Turchia sceglie di diventare uno stato moderno, in cui religione e politica sono separate. Il califfato, cioè il vertice spirituale e politico di tutti i musulmani, viene soppresso nel 1922. Grazie a Mustafa Kemal Atatürk, la Turchia è diventata un paese laico."

"Cosa vuol dire 'laico'?"

"Essere laico significa non essere religioso."

"Significa non credere in Dio?"

"No, si può credere in Dio ed essere laici. Essere laico significa non utilizzare la religione per imporre leggi alla vita delle persone. Per esempio, nella scuola pubblica in Francia, che è un paese laico, le religioni non hanno diritto di essere insegnate. Hanno però il diritto di avere delle scuole specifiche. Ci sono le chiese, le sinagoghe, le moschee. Ciascuno ha il diritto di andare a pregare dove vuole. Lo stato non interviene nella pratica della religione. La Turchia è stato il primo paese musulmano a diventare uno stato laico."

"È importante?"

"Visto quello che succede in questi giorni, è molto importante separare la religione dalla politica. Fino a che non verrà stabilita una barriera fra le due, ci saranno sempre dei problemi. In Francia, i musulmani devono vivere la loro religione rispettando le leggi della repubblica francese."

"Come?"

"Ti ricordi di quelle ragazze marocchine che andavano a scuola con il foulard intorno al capo?"

"No, ma dimmi."

"Alcuni professori non hanno voluto accettarle in classe, sostenendo che la Francia è un paese laico e che non bisogna mostrare in classe la propria appartenenza religiosa."

"E allora, cosa è successo?"

"Ci sono stati molti dibattiti. Alla fine, alcune ragazze hanno rinunciato a portare il foulard. Altre sono state ritirate dalle scuole dai propri genitori, ma questi hanno sbagliato a privarle dell'insegnamento."

"Ho visto l'altro giorno in televisione delle donne coperte dalla testa ai piedi. Sembravano dei fantasmi..."

"Quelle che hai visto sono donne afghane che gli uomini maltrattano in nome dell'islam."

"Ma l'islam costringe le donne a coprirsi completamente?"

"No, tu parli del velo che viene chiamato 'hijab' nel mondo arabo e 'chador' in Iran. Quello che si dice nel Corano è semplice: una donna che prega, che quindi si rivolge a Dio, deve coprirsi la testa e portare abiti che non modellino il suo corpo. Questo precetto si trova anche nella religione cattolica ed ebraica. Se una donna è vestita in modo provocante, per esempio porta una minigonna o una camicia che lascia intravedere il seno, se i suoi capelli sono sciolti, non può entrare in chiesa o in una sinagoga. Le donne musulmane hanno diritto ad andare alla moschea, ma non devono mescolarsi agli uomini. È per evitare turbamenti e incidenti. Un luogo di preghiera non è un luogo di incontro fra i due sessi."

"Dunque Dio parla del 'velo'."

"Sì, nella sura XXIV (La sura della luce), versetto 31, raccomanda alle donne credenti 'che abbassino gli sguardi' e che 'si coprano i seni d'un velo'. Nella sura XXXIII, versetto 59, si rivolge al profeta così: 'Di' alle tue spose e alle tue figlie e alle donne dei credenti che si ricoprano dei loro mantelli; questo sarà più atto a distinguerle dalle altre e a che non vengano offese'. Ciò vuol dire che le mogli dei credenti devono distinguersi dalle donne di poca virtù."

"Perché Dio parla di spose? Il profeta ne aveva più di una?"

"Nell'islam l'uomo ha diritto a quattro mogli. È ciò che viene chiamato poligamia."

"Lo so, mono è uno, poli è molti. Ma non è giusto!"

"Hai ragione, non è giusto. Sai, se si segue con attenzione il testo del Corano, ci si rende conto che è impossibile per un uomo credente e buon musulmano essere poligamo, perché il Corano dice questo: a condizione di amarle allo stesso modo, cioè di essere giusto e imparziale con ciascuna. Cosa che è impossibile. Non si può nutrire lo stesso amore per quattro donne nello stesso tempo. Si ha per forza una preferenza e dunque inevitabilmente si fa un'ingiustizia. Oggi la poligamia è in via di sparizione, perché la donna sta acquisendo i suoi diritti, non in tutti i paesi islamici ma in alcuni paesi come la Tunisia, dove la poligamia è vietata. Oggi non sono accettabili né il velo (tipo talebani) né la poligamia."

"Le donne si sono ribellate, spero!"

"Sì, ma non sempre. Sappi che nell'islam è detto a chiare lettere che non si deve avere vergogna o pudore a parlare di sessualità. In arabo si dice *la haya'a fi dine.*"

"Cosa vuol dire?"

"Vuol dire che l'islam parla senza perifrasi delle relazioni fra uomo e donna. Quando ero adolescente, ho letto un libretto che si chiamava *Il giardino profumato.* È stato scritto nel XV secolo da un religioso tunisino, Cheikh Nafzawi. È un manuale di educazione sessuale per i giovani musulmani. Chiaramente si rivolge soprattutto ai ragazzi, non alle ragazze. È in nome delle raccomandazioni dell'islam che lo sceicco dice e spiega come fare l'amore."

"Torniamo alla storia!"

"Allora, dopo la fine dell'impero turco, è la volta degli europei: entrano e si stabiliscono con armi e bagagli in paesi in cui non sono stati invitati: i francesi sbarcano in Algeria nel 1830; gli inglesi in Egitto nel 1882; dopo la Tunisia, i francesi stabiliscono un protettorato in Marocco nel 1912."

"Perché arrivano in questi paesi?"

"È il fenomeno che si chiama colonizzazione. Colonizzare vuol dire piantare delle colonie in terre straniere, cioè occupare dei territori con la forza e instaurare nel paese delle leggi e delle regole che sottomettono la popolazione locale. È una forma di dominio."

"È ingiusto!"

"Sì, è violento e ingiusto. Ma ciò che ha permesso l'occupazione di questi paesi arabi e musulmani è stato il declino che stavano attraversando. È come un corpo malato che non può difendersi e che si vede invaso da altre malattie."

"Questi popoli si sono ribellati?"

"Sì, dopo qualche decennio si sono risvegliati. La più terribile di queste guerre di indipendenza è stata la guerra d'Algeria, fra il 1954 e il 1962. Più di un milione di morti da una parte e dall'altra e poi la partenza dei francesi che erano nati e vivevano in Algeria."

"L'islam ha avuto un ruolo in queste guerre?"

"Sì, l'islam, in quanto religione e cultura, ha unificato tutti i combattenti. Li ha resi solidali. Ma il conflitto non si è trasformato in una guerra religiosa. Dopo l'indipendenza, poi, questi paesi avranno dei rivolgimenti politici."

Nono giorno

"Da dove nasce la violenza dei musulmani?"

"Non tutti i musulmani sono violenti. Non bisogna mai generalizzare. Sappi che nessuna religione è completamente pacifica o completamente votata alla guerra. Nel Corano trovi molti versetti che lodano l'amore, la giustizia, la pace fra gli uomini, il perdono e la saggezza, e poi, accanto a questi, trovi anche versetti che spingono il musulmano alla guerra. La violenza esiste dappertutto. E poi i musulmani non costituiscono un impero, come alle origini dell'islam. La comunità musulmana è dispersa in tutti i continenti. Non penso che un cinese abbia la stessa idea della pratica religiosa musulmana di un marocchino, o di un africano o di un convertito europeo. È vero, dopo la morte del profeta ci sono state guerre e violenze. Ciò è successo perché l'islam non è una religione disinteressata alla vita quotidiana. Si preoccupa del comportamento delle persone nella città, della loro morale, dell'organizzazione e della direzione della loro comunità. Fa politica. È questo che permetterà poi all'imam Khomeini, che nel 1978 in Iran destituì lo scià e instaurò una repubblica islamica, di dire che 'l'islam o è politica o non è'. L'islam controlla la vita della gente in modo più diretto di quanto non facciano il cristianesimo o il giudaismo."

"Sì, voglio saperne di più, voglio capire meglio perché oggi si parla sempre dell'islam a causa degli attentati."

"Hai ragione; allora devi aver pazienza e continuare ad ascoltare la storia dell'islam. È necessario che ti parli di una setta che viene chiamata setta degli 'hashashin'. La parola araba *hashish* vuol dire 'erba' e, più genericamente, 'droga'. L'hashashin è una persona che ama drogarsi, che fuma erba. La setta è nata in Asia occidentale, cioè in Siria e Persia, nell'XI e nel XII secolo. Il suo capo era soprannominato il Vecchio della Montagna; era un musulmano rigido e duro. Diventato un guru, andò ad abitare nel castello di Alamut, non lontano dal mar Caspio, e da lì iniziò a lanciare le sue truppe in spedizione punitiva contro il governo. Prima drogava i soldati con della canapa indiana. Fece tremare principi e re. La sua arma era il terrore, le stragi, l'odio. È da questa parola, *hashashin*, che deriva il francese 'assassino'."

"Perché, non è finita?"

"No, l'islam si è diffuso ampiamente, in Africa e in Asia (sai che il più grande paese musulmano si trova in Asia? È l'Indonesia). Ti rendi conto? Nel VII secolo i musulmani erano poche centinaia e adesso sono più di un miliardo!"

"Un miliardo di musulmani nel mondo? Perché così tante persone diventano musulmane?"

"Perché è una religione con dei precetti semplici: un solo Dio che ordina tutto. E poi, per convertirsi all'islam, basta pronunciare davanti a dei testimoni la formula della *shahada*: 'Dichiaro che non c'è divinità se non Dio e che Maometto è il suo profeta'. È semplice."

"E gli arabi sono tutti musulmani?"

"Innanzi tutto, sappi che gli arabi sono una minoranza rispetto agli asiatici che si sono convertiti all'islam. Poi, non tutti gli arabi sono musulmani. E quindi trovi degli arabi cristiani in Egitto (sono i copti e rappresentano il dieci per cento della popolazione) e in Libano, dove si chiamano maroniti. Dicono la messa in arabo. È molto bello."

"E in Francia?"

"L'islam è la seconda religione. Si stima che il numero dei musulmani sia di quattro milioni; per la maggior parte sono maghrebini, gli altri sono turchi, africani, pakistani, egiziani ecc. Poiché nell'islam non esiste un clero, non riescono a mettersi d'accordo per trovare un unico rappresentante per tutte le comunità."

"Pensi che i musulmani e i cristiani riusciranno a trovare degli accordi per vivere in pace, qui in Francia o altrove?"

"Non c'è una guerra in corso fra le due religioni. I musulmani in Francia e in Italia hanno la fortuna di vivere in paesi democratici, che garantiscono loro il diritto di praticare liberamente la loro religione. Ma non bisogna dimenticare che la Francia è un paese laico, in cui cioè nessuna religione è religione di stato. Tutte le religioni hanno diritto di esistere, ma nessuna può imporsi sulle altre. La religione e la politica sono state separate all'inizio del XX secolo.

Per finire, ti cito un versetto del Corano che fa l'elogio di quella che oggi viene detta plurietnicità: 'O uomini, in verità Noi v'abbiam creato da un maschio e da una femmina e abbiam fatto di voi popoli vari e tribù a che vi conosceste a vicenda' (sura XLIX, versetto 13)."

"Abbiamo sentito delle parole e vorremmo conoscerne il significato. Ce le puoi spiegare?"

"Quali sono queste parole?"

"'Integralisti'."

"In questo concetto c'è la parola 'integro' che esprime qualcosa di positivo; essere una persona integra vuol dire essere leale, fedele a dei principi e a dei valori. Il contrario di questa parola è 'corrotto'. Colui che è corrotto è qualcuno che è venduto, che sacrifica i suoi valori e i suoi principi per denaro o per interesse."

"Ma cosa ha a che fare un 'integralista' con l'islam?"

"I musulmani estremisti non utilizzano questa parola per indicare l'azione che portano avanti. Al contrario, questa espressione è stata utilizzata dai cattolici che vogliono più rigore nella pratica della loro religione. Per esempio, vogliono dire la messa in latino e non in altre lingue. Quando i musulmani hanno iniziato a reclamare un islam più duro, più fedele alle sue origini, la stampa lo ha definito con la parola 'integralista'."

"Loro come si definiscono quindi?"

"Si dicono 'islamisti'. Fra di loro si chiamano tutti fratelli. Derivano da un primo movimento, costituito nel 1928 da un maestro, Hassan Al-Banna, in un piccolo paese egiziano, Ismailìa, che si definiva movimento dei 'Fratelli musulmani'. Lottava contro la degradazione dei costumi e contro le influenze degli europei sui musulmani. Si opponeva al partito nazionalista egiziano Wafd, che propugnava un sistema politico democratico e parlamentare. Uno dei suoi dirigenti, Sayed Qotb, sarà arrestato e torturato per 'complotto contro Nasser', condannato a morte e ucciso il 29 agosto 1966. Il movimento continuò il suo percorso in Egitto e negli altri paesi musulmani. Oggi sono ben organizzati e fanno riferimento ai numerosi libri lasciati da Sayed Qotb, che era molto colto.

Se ascolti le prediche degli islamisti, capisci che cercano di imporre con la forza un modo di vita, di comportamento e di abbigliamento che rifiuta l'epoca attuale. Dimenticano una cosa semplice: l'islam è nato più di quindici secoli fa. Nei suoi testi ci sono valori che sono validi in tutti i tempi, eterni. Poi ci sono cose che riguardano l'epoca in cui l'islam è nato e che non si adattano ai tempi moderni. Vogliono tornare all'epoca del profeta e interpretano il messaggio di Maometto in modo riduttivo, molto schematico e caricaturale."

"Per esempio?"

"Gli 'islamisti' non vogliono che la donna sia uguale all'uomo, né che abbia dei diritti, che possa decidere lei stessa della propria sorte; le dicono: 'Devi obbedire a tuo marito, se non hai marito a tuo padre, se non hai padre a tuo fratello ecc.' Non bisogna vestirsi in questo e in quel modo. Fanno riferimento a dei versetti coranici che non sono a suo favore, ma dimenticano anche che Dio non ama l'ingiustizia e l'umiliazione. Sono persone che di sicuro hanno imparato il Corano a memoria, ma che ricordano solo alcuni versetti, il cui senso letterale gli fa comodo. Ora, il Corano permette molte altre interpretazioni."

"Lo fanno volontariamente o non sono istruiti?"

"I peggiori sono quelli semi-istruiti."

"Cosa vuol dire 'semi-istruiti'?"

"Sono le persone che sanno leggere ma non capiscono quello che leggono; si credono sapienti e invece sono ignoranti. Sono persone pericolose."

"La parola 'fondamentalista'."

"È come la parola 'integralista'. Vuol dire: tornare ai principi fondamentali dell'islam, come se il mondo non si fosse evoluto."

"La parola 'jihad'."

"*Jihad* è una parola che significa 'sforzo'; i musulmani all'inizio l'hanno interpretata come 'sforzo su se stessi', 'resistenza contro le tentazioni, contro la seduzione del male'. In seguito, fu utilizzata come richiamo alla guerra, quando il profeta era minacciato e perseguitato dagli abitanti della Mecca che non credevano al suo messaggio. Nell'XI secolo, quando i cristiani decisero di partire in guerra contro i musulmani, cioè in 'crociata', i musulmani hanno dichiarato la *jihad*, una guerra contro gli aggressori per difendersi. Oggi, questa parola non ha più senso, perché l'islam non smette di diffondersi pacificamente e nessuno lo minaccia veramente. Quindi quelli che utilizzano oggi questa parola, cadono in un controsenso. Cercano di fare paura agli altri."

"La parola 'fatwa'."

"Questa parola deriva dal verbo *fata*, che vuol dire 'dettare'. *Fatwa* indica un ordine di tipo religioso, ma non una legge. È pronunciata da qualcuno che conosce bene il Corano, uno specialista, un professore di religione. Ma quando si lancia una *fatwa* come un ordine, per esempio andare a uccidere un musulmano che ha scritto o detto delle cose che si giudicano inammissibili, si tratta di un abuso. L'islam non fa della *fatwa* una legge o un decreto che deve essere applicato."

"'Shari'am'."

"È una linea di condotta, una morale indicata dagli anziani uomini religiosi. Si basa sul Corano e sulle parole del profeta. Per certi musulmani è più di una indicazione morale, è un quadro giuridico, cioè un insieme di leggi che vanno applicate nella vita quotidiana dei musulmani. Ma la *shari'am* non è obbligatoria. Non tutti i paesi musulmani la applicano. Per la maggior parte di loro costituisce un ritorno al passato."

"La parola 'tolleranza'."

"Il verbo tollerare significa 'sopportare, accettare'. Concretamente vuol dire: io non sono come te, non sono della tua stessa religione, non sono del tuo paese, non sono d'accordo con le tue idee, e tuttavia accetto che tu esista accanto a me, che tu pratichi la tua religione, parli la tua lingua e pensi quello che vuoi. Ma in cambio, anche tu devi accettare quello che sono io. La tolleranza ha senso solo se è reciproca. L'intolleranza è il fatto di non accettare e anche di rifiutare coloro che sono diversi da sé. Alimenta il razzismo."

"Bisogna tollerare tutto?"

"No, assolutamente, non si deve accettare il razzismo, l'umiliazione."

"Cosa vuol dire 'umiliazione'?"

"Umiliare qualcuno è calunniarlo, privarlo della sua qualità di essere umano, cioè della sua dignità, del suo orgoglio. Significa ferirlo in quello che è profondamente, fargli male e fargli subire delle ingiustizie."

"L'islam è una religione tollerante?"

"Fondamentalmente nessuna religione è tollerante. Ogni religione cerca di convincere le persone che è l'unica e che è la sola ad avere ragione. Ma quando si leggono i testi di libri sacri come il Corano, si impara che l'islam non è nato per fare la guerra agli ebrei e ai cristiani. Quindi l'islam, che riconosce le altre religioni e i loro profeti, vuole essere tollerante. Cito tre versetti che provano che l'islam si inscrive nella tradizione della tolleranza: sura II, versetto 256: 'Non vi sia costrizione nella Fede'; non si devono dunque costringere le persone all'islam né obbligare coloro che sono già musulmani a comportarsi secondo le regole stabilite con la forza da un capo; sura CIX, versetto 5: 'Né voi venerate quel ch'io venero: voi avete la vostra religione, io la mia'; è chiaro, le credenze religiose, come i gusti e i colori, non si discutono e meritano il rispetto reciproco; sura XXVIII, versetto 56: 'Per vero, non sei tu che dirigi chi ti piace, bensì è Dio che guida chi vuole'. Il testo è chiaro, l'islam non costringe nessuno a credere nel suo messaggio, ciascuno ha il diritto di avere le sue credenze e di essere rispettato, così come deve rispettare le credenze altrui; in definitiva, nessun uomo ha il diritto di sostituirsi a Dio per dare ordini ai credenti; altrimenti detto: coloro che si proclamano capi religiosi islamici sono in errore. Nell'islam non esiste il clero, non c'è cioè intermediario fra Dio e l'uomo, non ci sono preti e rabbini come nelle altre due religioni. Non c'è neanche il papa, cioè un capo supremo che sarebbe il rappresentante di Dio in terra. Ma come le altre religioni, l'islam ha i suoi fanatici, cioè delle persone che non sopportano quelli che non pensano e non credono come loro. È una minoranza. Ma purtroppo è attiva e nefasta. Danneggia i musulmani e coloro che non lo sono. Agiscono in nome dell'islam, ma spesso sono o persone analfabete che non hanno studiato i testi, o persone intelligenti che utilizzano l'islam per diffondere la propria propaganda politica, cioè i propri interessi. Sono i famosi 'semi-istruiti'. Come ha detto un poeta tunisino: 'L'islam ha le sue malattie'. Ne stiamo subendo gli effetti – cosa che ci riporta all'inizio di questa conversazione, gli attentati contro gli americani dell'11 settembre 2001."

"Perché hanno fatto una cosa del genere?"

"Perché credono che gli americani siano responsabili del malessere di certe popolazioni arabe e musulmane. Perché sono confusi da capi che si atteggiano a giustizieri, perché sono nell'errore e si rifiutano di ammetterlo. Perché sono stati plagiati da quegli stessi capi che sono riusciti ad annientare in loro il dubbio e il loro pensiero. Perché gli è stato detto che Dio ama i martiri e li ricompensa mandandoli in paradiso. Perché non hanno ricevuto un'educazione alla tolleranza volta a rispettare le idee e le culture altrui. L'islam non ha mai insegnato l'odio, il crimine e il suicidio. Li punisce in modo molto severo."

"Cosa vuol dire 'martire'?"

"È colui che prova la morte 'sulla strada di Dio'. Il martire è il musulmano che muore in nome della fede, nella lotta per difendersi da un attacco, per riprendere una sua terra o per liberare il suo paese da un'occupazione straniera. Esistono due parole arabe per designare un martire: *fida i* ('colui che offre la sua vita') e *shaihid* ('colui che testimonia'). Dio promette al martire il paradiso."

"'Talebani'."

"Il verbo arabo *talaba* significa 'cercare' (sottinteso: cercare il sapere); *taleb* è colui che invoca il sapere, l'insegnamento. La parola 'talebani' indica non degli studenti ma un movimento che si definisce religioso. È nato in Afghanistan e si caratterizza per l'odio della donna e dell'arte. I talebani terrorizzano le donne, proibiscono loro di andare a scuola, di lavorare in un'amministrazione pubblica, di fare sport, di ascoltare la musica, quando si ammalano non le curano, uccidono le donne che considerano 'immorali' gettando loro addosso delle pietre, e seppelliscono vive quelle colpevoli di tradimento coniugale... Hanno altre pratiche selvagge come tagliare la mano ai ladri o giustiziare pubblicamente una persona condannata a morte senza passare per un tribunale, conoscono pochi versetti del Corano ma per lo più non sanno né leggere né scrivere. E tutto ciò lo fanno in nome dell'islam!"

"Sono pazzi!"

"Sì, sono pazzi e pericolosi, ignoranti e barbari. Non conoscono l'islam e la sua civiltà. Vogliono rovinare definitivamente questa cultura."

"È vero che la pittura è vietata nell'islam?"

"No, è falso. Quello che è proibito è rappresentare Dio e il profeta Maometto. Non si può disegnare il loro volto. Dio è spirito. Come rappresentarlo? Quanto a Maometto, è il suo spirito che è essenziale. Non può essere visualizzato. Ma si può disegnare qualunque altra cosa e chiunque altro. In Persia, c'è un'ottima tradizione pittorica e grafica, e una tradizione di miniature decorative di manoscritti antichi."

"Adesso capisco! Una cosa è l'islam, altra cosa i musulmani. Alcuni hanno capito il messaggio del profeta, altri l'hanno capito male o hanno fatto finta di averlo capito e vogliono tornare al passato. Ma dimmi, non si può cambiare nulla nell'islam?"

"Viviamo in un'epoca moderna, quindi tu vuoi che l'islam si adatti alla vita moderna. Hai ragione. Quelli che hanno cercato di cambiare qualcosa in senso positivo, però, come migliorare la condizione femminile, hanno avuto molte difficoltà. Nell'islam, come nelle altre religioni, ci sono cose che sono eterne e altre cose che sono contingenti, cioè valide per un'epoca e non per tutte le epoche. Il problema è che certi dicono che tutto è eterno e niente deve evolvere, altri dicono che questa religione può essere adattata all'epoca in cui viviamo. Se non c'è libertà in certi paesi musulmani, come puoi pensare di andarne a toccare la religione?! Come ti avevo detto l'altro giorno, la cosa più importante, più urgente, è separare la religione dalla politica. Fino a quando coloro che governano si appoggeranno alla religione, continueremo ad avere problemi e malattie come il fanatismo e ciò che ne consegue, cioè il terrorismo e l'ignoranza."

"Qual è la condizione della donna nell'islam?"

"Come le altre religioni, l'islam non accetta che la donna sia uguale agli uomini. La donna viene considerata inferiore rispetto agli uomini. Oggi le società musulmane sentono il bisogno di evolvere. Si dimentica che Khadija, la prima sposa del profeta, era una donna d'affari, una commerciante che faceva un lavoro maschile. Si può fare riferimento alla sua figura, al suo ruolo, per riformare la condizione della donna, oggi. L'islam non vieta leggi che diano pieni diritti alle donne, ma gli uomini hanno paura di stabilire un'uguaglianza fra uomini e donne. Solo la Tunisia ha cambiato le sue leggi affinché la donna possa difendersi meglio. In Arabia Saudita, la donna non ha neanche il diritto alla patente. Quanto alle donne in Afghanistan, hanno subito la legge più barbara, quella dei talebani. Ma i talebani sono dei barbari che non hanno capito niente dell'islam e che l'hanno sfigurato al punto tale che tutta la comunità musulmana continua a soffrirne. Hanno distrutto le statue buddiste di molti secoli prima e che appartengono alla cultura universale."

"E allora, che fare?"

"Lottare contro l'ignoranza. È questa che rende fanatici e intolleranti. Non c'è persona più pericolosa di colui che non sa nulla e crede di sapere tutto."

"Lottare, come?"

"Bisogna iniziare dalle scuole. È necessario per esempio che i paesi arabi e musulmani rivedano i manuali scolastici e li riscrivano pensando alla tolleranza, al rispetto dei diritti dell'uomo e della donna, dando esempi di grandi saggi musulmani che hanno fatto avanzare la civiltà umana, eliminando da questi libri gli esempi che rafforzano la chiusura mentale e che fanno passare nella testa dei bambini, come una cosa normale, il fatto che l'uomo malmeni sua moglie, o che la donna debba restare in casa mentre l'uomo lavora ecc. È necessario che l'islam venga insegnato come le altre religioni e che venga detta la verità sulla sua espansione, che non si è svolta senza conflitti. Dire anche che i tempi cambiano e che non si vive come si viveva all'epoca del profeta. Detto diversamente, continuando a rispettare il messaggio di Maometto, continuando a credere in Dio, l'uomo ha diritto a evolvere, cioè ad adattarsi alla vita moderna senza rinunciare alle sue credenze e ai suoi valori fondamentali. Vanno dati ai bambini tutti gli strumenti perché si costruiscano una loro propria opinione. È molto importante dare al bambino la libertà, così che non sia influenzato da questa o da quella religione. In altre parole, si tratta di un lavoro immenso, ma è necessario cominciarlo. È quello che abbiamo appena fatto. Prima di chiudere questa conversazione, vi do una lista di parole. Mi direte cosa c'è in comune fra loro."

In ordine alfabetico:

albicocca, alcool, algebra, algoritmo, almanacco, amalgama, ambra, ammiraglio, amuleto, arancia, arroccamento, assegno, avallo, avaria, azimut, azzurrino

baldacchino, banana, barocco, benzina, benzoino, bergamotto, borsa

caffè, calibro, camelia, canfora, caraffa, caravella, carciofo, carosello, caso, cavo, chimica, chitarra, cifra, civetta, cremisi, cupola

dama, divano, dogana, dragoncello, droga

eden

fanfara, feluca, fondaco

gala, garza, gazzetta, gelsomino, giraffa

hashish

lacca, lillà, limonata, liuto

materasso, meschino, mohair, monsone, mulatto, mummia, mussola

negozio

ovatta

racchetta, rischio, riso

saccarina, safari, sandalo, satin, scacchi, sgabello, smeraldo, soda, sofà, sorbetto, sottoveste, spinaci

taffetas, talco, talismano, tara, tariffa, tight, trovatore
x
zafferano, zaffiro, zenith, zucchero

"Non conosciamo tutte queste parole, per poter dire cosa hanno in comune."

"Sono tutte, e altre che non ho citato qui, di origine araba. Oggi sono utilizzate nelle lingue latine e non, e nessuno immagina più la loro origine."

"La 'x' è araba?"

"È curioso, questa lettera non esiste nell'alfabeto arabo, ma i matematici arabi chiamavano l'incognita *chai* ('cosa') in breve 'ch'; nell'antico spagnolo il segno 'x' corrisponde al suono 'ch'."

"Ne sai di cose!"

"No, tutte queste parole le ho trovate nel dizionario. Per finire questo dialogo, vi cito due frasi del profeta Maometto (queste frasi vengono dette *hadith*): 'Dalla culla alla tomba, mettiti alla ricerca del sapere, perché chi aspira al sapere adora Dio'; 'Lo studio della scienza ha il valore del digiuno, l'insegnamento della scienza quello di una preghiera'. L'acquisizione del sapere è considerata dal profeta importante quanto i due pilastri dell'islam, il digiuno del Ramadàn e la preghiera quotidiana."

POSTFAZIONE

Incontro con gli studenti dei licei di Milano e di Torino sull'islam

Uno scrittore è anche un cittadino. Mi piace raccontare storie, far sognare, fare incursioni nell'immaginario ma, nello stesso tempo, sento che è mio dovere anche scendere in campo e incontrare gli studenti dei licei. Come il piccolo libro sul razzismo, anche il libro sull'islam, *L'islam spiegato ai nostri figli*, mi ha portato ad andare nelle scuole e a parlare con degli adolescenti.

Liceo Parini di Milano, martedì mattina.

Mi riceve il preside e mi dice in francese: "È fortunato, il liceo non è più occupato! Quest'anno siamo passati dall'occupazione all'autogestione". Resto stupito e gli dico che non ho capito. Mi spiega che l'occupazione è diventata quasi una tradizione, nei licei italiani. Subito dopo mi presenta ai 280 studenti del ginnasio. Hanno fra i 15 e i 16 anni. Per la maggior parte, ragazze. Non mi sembra che stiano molto attenti. Un professore mi dice in un orecchio: "È fortunato, non fanno rumore e sono molto interessati all'incontro". Dopo le presentazioni, prendo la parola e spiego le ragioni per cui ho scritto questo libro sull'islam. Stanno ad ascoltare. Alcuni chiacchierano in fondo all'aula. Qualcuno mi dice di non farci caso. Elisabetta Sgarbi, il mio editore, prende la parola e spiega loro le ragioni per cui ha pubblicato questo libro, poi chiede di fare delle domande. Noto che tutti hanno le bozze del libro in mano; Bompiani gliele ha fatte avere perché conoscessero il libro e fossero preparati all'incontro.

A fare la prima domanda è un ragazzo: "Quali sono le contraddizioni del Corano?" Sono molto stupito. Gli chiedo di precisare la domanda. Mi dice: "L'islam proibisce l'adorazione degli idoli in pietra ma poi tutti i pellegrini alla Mecca sognano di toccare la Pietra Nera della *kaaba*". Il ragazzo ha letto di sicuro il libro. Gli rispondo che la Pietra Nera su cui il profeta Abramo avrebbe posto il piede non è un idolo.

Una ragazza mi chiede perché mi sono rivolto agli adolescenti e cosa mi aspetto da loro. Le ricordo che è più facile convincere dei ragazzi che cambiare la mentalità degli adulti.

Un'altra ragazza mi sorprende per la sua determinazione: "Cosa ha fatto l'America per meritare l'11 settembre? Ha scritto questo libro per giustificare quel massacro?"

Alcuni studenti applaudono. Il preside chiede il silenzio affinché io possa rispondere. Dico che niente giustifica un massacro tale e che quello che è successo ha rivelato la grande ignoranza di quasi tutto il mondo occidentale sull'islam. Le ripeto che l'islam condanna il terrorismo e il suicidio, che i terroristi non sono dei veri musulmani, ma ho l'impressione di parlare nel deserto.

Un ragazzo prende la parola: "Perché gli americani si sono isolati e non sono interessati agli altri?" Il dibattito è interessante. Ricordo l'arroganza di questa potenza, che non ha bisogno di nessuno e non pensa mai di poter imparare qualcosa anche da chi è più piccolo di lei. Chiedo loro quanti scrittori italiani contemporanei sono tradotti negli

Stati Uniti. Non lo sanno. Torniamo al libro e all'islam. Mi viene posta una serie di domande sulla condizione femminile. È l'argomento che li appassiona di più. Non mi sento a mio agio. Come posso dire loro che l'islam privilegia più l'uomo della donna? Come spiegare la poligamia e il diritto al ripudio? Un ragazzo mi dice che per gli ebrei è la donna a trasmettere ai figli la religione. Gli ricordo che per gli ebrei ortodossi la donna non ha diritto di esistere. Una ragazza mi chiede perché una donna musulmana non ha diritto di sposare un non-musulmano mentre il contrario è autorizzato. Le spiego che, poiché l'islam considera la donna sottomessa e dipendente dall'uomo, sposando un non-musulmano la donna sarebbe influenzata dalla religione di suo marito e per l'islam sarebbe perduta, insieme ai suoi figli. Sento dei fischi nella sala. È difficile parlare di questo problema. Una ragazza mi viene in aiuto e mi chiede: "Se dovesse dipingere un quadro della società occidentale, come lo farebbe?" Faccio tutto un discorso sulla fortuna che hanno a vivere in un paese sviluppato e democratico. Dico che forse non si rendono conto della libertà di cui godono in quanto individui e che dovrebbero invece pensare ai loro coetanei algerini, afghani, egiziani, ragazzi come loro che però vivono male e devono battersi tutti i giorni per sopravvivere.

Dopo questo discorso, con cui ho richiamato la loro attenzione su certi aspetti della realtà esistente, una ragazza mi chiede perché il Corano non subisce revisioni. Impossibile. È un testo sacro, intoccabile e non modificabile. Non ho più tempo per entrare nei dettagli. Alla fine delle due ore avverto una stanchezza generale. Ho l'impressione che questo incontro sia stato utile. Il preside e il mio editore sono contenti. Anch'io.

Sabato. Torino. 1800 studenti scelti in quaranta licei di Torino. Il cinema Lux è così pieno da scoppiare. Vengo accolto del professor Gianni Oliva, assessore al sistema educativo e formativo della provincia di Torino. È accompagnato da altre personalità. La sala è impaziente. Come parlare a 1800 ragazzi? Discorso e presentazione. Mi lancio e parlo della gioia che provo a essere fra tutti questi liceali. Parlo dell'importanza della pedagogia, del passo che si compie rivolgendosi alle scuole e parlando ai ragazzi. Dico che intervengo sia in qualità di scrittore che in qualità di padre. Di nuovo, domande sulla condizione delle donne musulmane. Sono affascinati dalla poligamia. Mi parlano di Boutcha, il famoso imam di Torino che ha fatto dichiarazioni che hanno sconvolto gli italiani. Scopro che i pregiudizi persistono e si basano soprattutto sulle fantasiose dichiarazioni di uno dei responsabili della moschea, che si è ritenuto autorizzato a dire sciocchezze sull'Occidente e l'islam. Un ragazzo mi fa una domanda: "Come combattere i pregiudizi alla Berlusconi?" Una ragazza mi parla di Oriana Fallaci, un'altra mi chiede "perché nell'islam la donna non conta nulla?", un ragazzo mi dice: "Visto che lei dice che l'islam condanna il terrorismo, perché Bin Laden ha un tale successo nei paesi islamici?"; una studentessa di origine maghrebina mi dice che è stata infastidita dalla domanda di mia figlia: "Papà, io sono musulmana?"; un ragazzo le risponde: "Ma l'islam è una religione chiusa!" La sala è agitata, alcuni applaudono, altri urlano, ma quando prendo la parola il silenzio è impressionante. I professori che accompagnano gli studenti sono vigili. Li sento preoccupati per le risposte che do. Una ragazza fa riferimento al conflitto fra palestinesi e israeliani, un ragazzo si chiede se il mondo si è impegnato in una guerra di religione, una guerra fra Nord e Sud, una guerra fra il Bene e il Male, una guerra fra culture;

mi dice: "C'è violenza ovunque, cosa fare per risolvere tutti questi conflitti?"; una ragazza mi chiede se l'islam è compatibile con la società italiana, se gli immigrati non si sentano rifiutati, isolati, dopo l'11 settembre. Trovo questi ragazzi vivaci e intelligenti. Sollevano problemi che li preoccupano. Non eludo alcuna domanda, dico che la cultura araba e musulmana non è migliore di quella occidentale. Faccio l'elogio della diversità e del sapere. Cito il profeta Maometto che incita tutti i musulmani a cercare ovunque il sapere, a lottare contro l'ignoranza. Applausi in abbondanza. Torno alla condizione femminile. Dico il mio imbarazzo e distinguo fra i testi e le mentalità. Non ho l'impressione di averli convinti. È vero che fino a quando molti stati musulmani non avranno cambiato il proprio diritto di famiglia, fino a quando la donna non godrà degli stessi diritti dell'uomo, il mondo arabo e musulmano sarà malvisto e alimenterà i pregiudizi che certi occidentali nutrono. Finisco dicendo che gli immigrati regolari che si stanno integrando potranno vivere un islam moderno, perché possono praticarlo in una società laica e democratica. Forse l'islam cambierà a partire dall'Europa. È una possibilità e una speranza. Applausi. Emozioni. Seduta fotografica per la stampa e la televisione. Scene di gioia. Sono emozionato e mi sento svuotato. Il mio editore mi dice che è solo l'inizio. Ti aspettano altri studenti nei licei italiani!

Confesso che per uno scrittore un'esperienza simile è ricca e stimolante. Grazie a tutti, da parte di un cittadino laico.

T.B.J.

VIVERE INSIEME

SCENE DI VITA QUOTIDIANA*

La Porsche e il fantasma

Lo scontro tra culture si palesa a volte in situazioni ridicole, in comportamenti stupidi provocati dall'arroganza e dall'ignoranza. Ne è un esempio la scena cui ho assistito giorni fa, mentre mi trovavo nel sud del Marocco.

Un'automobile decappottabile arriva a tutta velocità su una strada stretta e piena di buche: una macchina sportiva, una Porsche. Alla guida c'è un giovanotto alla moda, testa rasata, occhiali da sole scuri, sigaretta in bocca, cellulare nell'altra mano. La macchina deve essergli costata cara: quanto una prateria, un'intera vita di lavoro all'estero, la rendita di un principe. La macchina frena alla nostra altezza. Il ragazzo è fiero della sua auto, e mostra il paesaggio a una donna seduta accanto a lui. Ma questa donna è completamente avvolta da un velo nero, guanti neri e, dalla fessura per gli occhi, aperta per vedere qualcosa, si intravedono degli occhiali scuri. Un fantasma, una cosa quasi immobile e muta. Mi ricorda le ultime pagine delle *Voci di Marrakech* di Elias Canetti, in cui si parla di una cosa nera che si muove appena, di cui non si distin-

* Gli articoli raccolti in questa sezione sono stati pubblicati su testate italiane e internazionali.

guono né un corpo né le sue membra, eppure forse sotto c'è qualcosa di umano.

Il ragazzo scende dalla Porsche, si accende una sigaretta e dice in francese: "È bello il mio paese!" La donna sequestrata nel sudario nero annuisce. Però non apre bocca. Senza che gli abbia rivolto la parola, lui mi dice: "Mi sono sposato e ora riparto con mia moglie. Ma c'è un problema per i documenti: pretendono una foto a viso scoperto per il documento di identità. Sono pazzi, ma Allah è grande!" E intanto sfiora più volte con la mano il parafango dell'auto, come se accarezzasse la gamba di una bella ragazza nuda. Dall'accento desumo che proviene dal Rif, dove si coltiva il *kif* (la canapa indiana), con cui poi si fa l'hashish. Soldi facili. Sta al volante come se fosse sul punto di decollare per la luna e tratta sua moglie come una schiava, una cosa, un pacco avvolto in arredi funebri. Come c'era da aspettarsi, si mette a parlare al cellulare in olandese. Abita a Rotterdam, a giudicare dalla targa dell'automobile. La "cosa" lo seguirà nel suo paese d'immigrazione, oppure l'uomo incaricherà i suoi genitori di spedirgliela come pacco postale?

Quando avvia il motore per ripartire, fa del suo meglio per investirci con una nube di polvere. La cosa nera non è più visibile.

Non ho avuto voglia di rivolgergli la parola. Non sarebbe servito a nulla. Deve avere paura delle donne. È un problema psicologico, che rientra nel campo della patologia psichiatrica. Ha paura che la sua donna gli possa essere sottratta, violata con lo sguardo, desiderata in sogno. Perciò la sorveglia, finché un giorno la poveretta finirà per risvegliarsi, e si vendicherà. È successo altre volte.

Questo ragazzo basta a illustrare tutte le contraddizioni di una mentalità che risale all'età della pietra, ma con un piede nel XXI secolo. È uno che fa uso dei mezzi tecnici più sofisticati, ma al tempo stesso tratta sua moglie come un capo di bestiame.

Situazioni del genere sono state denunciate con grande forza e coraggio da una donna araba, una psicologa che vive a Los Angeles e che ha discusso alcuni mesi fa con un teologo egiziano su Al Jazeera. Fu il caso dell'anno. Ho trascritto le sue parole, e cito qui alcuni passaggi: "Il fenomeno cui assistiamo oggi non è uno scontro tra civiltà, è la contrapposizione tra mentalità medievali e mentalità del XXI secolo, tra civiltà e arretratezza, barbarie e razionalità, democrazia e dittatura, libertà e repressione. È uno scontro tra i diritti umani da un lato e la loro violazione dall'altro. Uno scontro tra chi tratta le donne come bestie e chi le tratta come esseri umani".

Questa donna, ovviamente a viso scoperto, parla con calma, scandendo le parole, e dice le sue verità a un mondo in cui regna l'ipocrisia e l'oscurantismo. Quando dice chiaro e forte che lei è laica e che la fede è una questione privata, il suo interlocutore urla, fuori di sé: "Sei atea, atea, nemica dell'islam!"

Che lo si voglia o no, esistono di fatto oggi due mondi contrapposti: il mondo della libertà e quello della barbarie, quello di chi ha fatto demolire le statue buddiste in Afghanistan, di chi vieta alle donne di istruirsi o di insegnare, di farsi curare da un medico maschio, di ridere in modo percettibile, di ascoltare la musica, di truccarsi (alcune donne si sono ritrovate con le dita tagliate perché avevano messo lo smalto) ecc. La barbarie di chi manda i giovani a farsi esplodere nei luoghi pubblici, di chi minaccia la pace del mondo richiamandosi a un islam che in realtà non ha niente a che vedere con questa brutalità, questa follia. Come ha detto quella donna coraggiosa, "i musulmani devono chiedersi cosa possono fare per l'umanità, prima di esigere che l'umanità li rispetti!"

Si dice bene che l'Afghanistan e i suoi talebani non rappresentano l'islam, che quel che fanno è in totale contraddizione con lo spirito e la lettera musulmani; è pur sempre in nome di questa religione che agiscono e riescono a contaminare una parte dei giovani di origine musulmana, sia in Europa sia nel Maghreb.

E il giovane immigrato sulla Porsche con accanto la donna in nero certamente è schizzato via convinto di essere un buon musulmano, un uomo al passo con i tempi e che probabilmente non sarà mai tradito dalla moglie!

Cose viste quest'estate in Marocco

Una spiaggia di sabbia fine, bianca, calda, meravigliosa. Un mare blu. Perfino la schiuma ha tracce di azzurro. Solo il rumore delle onde lente, appena visibili. Pochi bagnanti. Sportivi che corrono. Un cane a zonzo. La spiaggia è pulita, o quasi; delle navi hanno scaricato i liquami non lontano dalle coste mediterranee. Catrame sulla sabbia. Cammino e sento che sulla pianta dei piedi si è raccolto del catrame. Mi lamento, poi all'improvviso la mia attenzione è attratta da una giovane coppia che si accinge a entrare nell'acqua. Lui, costume lungo, cappellino e macchina fotografica. Lei in una camicia da notte celeste particolarmente aderente. Si indovinano le forme. Avanza nel mare, si immerge tutta vestita e ne esce come una sirena trasparente. L'uomo la fotografa, le chiede di tuffarsi di nuovo. La donna si ferma e si gira verso di lui, verso di me. Ha un petto splendido. Si distinguono bene la forma dei seni, i capezzoli scuri. Sotto la camicia da notte, mutandine di cotone bianco. L'uomo è occupato a fotografarla e io ammiro questa bellezza uscita dal mare, la stoffa aderente alla pelle, e un triangolo nero, il famoso paradiso profumato. L'uomo si volta e noto che ha la barba. Sua moglie non deve essere vista da altri uomini. Indietreggio e lui mi lancia un'occhiata minacciosa. La donna gioca con l'acqua e con la schiuma delle onde. È magnifica. L'uomo si precipita verso di lei e la copre con un grande telo da bagno. Fine dello spettacolo. Fine del film erotico. Continuo la mia passeggiata ripensando a quella sirena, che stupida non era.

Un po' più in là, un gruppo di giovani donne, tutte vestite, si immerge nell'acqua. Sono sole, non ci sono uomini con loro. Si divertono, si rotolano sulla sabbia, escono ridendo. Il fatto di non essere in costume non sembra disturbarle. Escono dall'acqua come naufraghi stanchi, si buttano sulla spiaggia e aspettano di asciugarsi. Lì accanto si sistema una famiglia di emigrati. Il padre pianta un ombrellone e si piazza all'ombra. Legge un giornale in arabo. La madre si occupa dei figli, due maschi adolescenti e tre bambine: la più grande indossa un due pezzi, le altre due restano vestite. Tra di loro parlano in tedesco. Non capisco una parola ma vedo che sono allegre. Insieme ai fratelli, giocano a pallavolo con una rete immaginaria. Il padre non dice nulla, la madre prepara il pranzo. Con il marito scambia qualche parola a volte in arabo e a volte in berbero. Le tre bambine fanno il bagno, giocano, urlano, si divertono. Non si direbbe che le due sorelle vestite si sentano scomode o a disagio. Valle a capire. Una in costume da bagno sexy, le altre due in abiti grigi.

Vado alla posta a ritirare un pacco. Odio andare alla posta. Fa caldo. Faccio la coda e mi accorgo che la fila accanto ha più persone ma la mia non avanza. Una persona mi dice: "Vieni di qua, fai prima". Gli chiedo perché. Mi risponde: "Qui allo sportello c'è una sorella musulmana. È più seria e più veloce. L'altra mastica chewing gum e lavora brontolando".

Mi avevano già fatto notare che gli islamisti ci tengono a mostrare quanto sono seri e integri. Una forma di militanza per il partito che rappresentano.

Vado al Café de Paris, in Place de France a Tangeri. Sono con un amico spagnolo. Mi chiede perché ho scelto questo caffè. Perché è un eccellente luogo di osservazione. Tutti passano di lì. Decidiamo di contare quante sono le donne velate e quante no. Nel giro di un quarto d'ora, smettiamo: quelle col velo sono molte di più. Questo vuol dire che tutte le donne che portano il velo sono fondamentaliste? No. È la moda, d'altronde nella *kissaria* (mercato di abiti e tessuti da donna) hanno aperto negozi che vendono solo foulard, di tutti i colori e di tutte le forme. In vetrina, i manichini di plastica sono nudi ma incappucciati da eleganti foulard.

Ho visto uomini neri, ben vestiti, passeggiare per il centro storico di Tangeri. Per una volta non si tratta di sventurati clandestini inseguiti dalla polizia. Sono comparse in un film ambientato in Africa, con Leonardo DiCaprio protagonista. Hanno allestito un mercato africano di fronte al Teatro Cervantes, in rovina da oltre cinquant'anni. È lì che girano il film. La sera ho visto DiCaprio cenare con sua madre al ristorante Le Mirage. Parlava con lei in tedesco.

Il primo giorno del Ramadàn il volto della città è cambiato. Le vie sono quasi vuote fino alle dieci del mattino. Tutti fanno il digiuno, anche quelli che non lo fanno. È inimmaginabile che un marocchino musulmano esca per strada fumando o mangiando un pezzo di pane. La legge lo vieta e la gente non lo permetterebbe.

La città comincia ad animarsi verso l'una, subito dopo la preghiera di metà giornata. Più il tramonto si avvicina (quest'anno è verso le sette), più la gente si muove, si irrita, litiga e corre in tutte le direzioni. Stare senza mangiare, bere, fumare e avere relazioni sessuali, in breve cambiare del tutto il proprio modo di vivere, rende la gente irascibile. Siamo lontani dal senso spirituale del digiuno, considerato dall'islam come un momento di raccoglimento, di meditazione, di introspezione e di preghiera.

Alla rottura del digiuno si mangia molto, troppi dolciumi, pasticcini al miele, uova sode. Si mangia in fretta e troppo. La sera è il momento più bello del Ramadàn. La gente è rilassata, si incontra e si diverte fino all'alba, fino al momento esatto, cioè, in cui il digiuno ricomincia. Tra le otto e le dieci di sera le moschee sono piene, per ascoltare teologi che parlano dell'islam e della vita. Queste sedute sono chiamate *tarawih*, sorta di lezioni e prediche più approfondite.

I convertiti

Mentre l'islam accoglie sempre più convertiti, non tollera che un musulmano si converta a un'altra religione. La cosa è semplicemente proibita. È detto nel Corano che "il convertito deve essere ucciso" (*Al murtad yuqtal*). Ovviamente questa affermazione era valida al tempo in cui il profeta Maometto si batteva contro nemici che cercavano con ogni mezzo di opporsi alla rivelazione che egli aveva ricevuto. Tra questi c'erano i politeisti, che Maometto doveva, per missione, portare ad adorare un unico Dio, il Dio dell'islam. Quando un musulmano cedeva al politeismo o partecipava a un complotto contro il profeta, la sua condanna era la morte. Il profeta non tollerava né i politeisti né gli ipocriti. Il Corano dedica tutto un capitolo agli "ipocriti", intesi come traditori.

Oggi, però, il contesto non è più lo stesso. L'islam è sempre più diffuso; in tutti i continenti quest'ultima religione monoteista rivelata guadagna sempre più convertiti. Un individuo di origine musulmana che cambia religione non rappresenta quindi alcun pericolo attualmente, perché fa parte di una minoranza esigua e trascurabile.

Tuttavia alcune persone non la vedono così. Ricordo che quando ero bambino, a Fès, città tradizionalista e crogiolo di un islam venuto dall'Arabia, c'era una famiglia marocchina e musulmana che si era sentita disonorata e tradita perché uno dei suoi figli si era convertito al cattolicesimo. Per evitare rappresaglie, più da parte della famiglia che di un gruppo o di un'associazione islamica, il giovane uomo si esiliò in Francia dove diventò padre Abdeljalil. Nessuno ebbe nulla da rimproverare alla famiglia che, per sottolineare la sua profonda disapprovazione, organizzò un funerale simbolico.

Questa cosa mi sconvolse. Mi fu allora spiegato che, quando uno nasce musulmano, resta musulmano a vita e muore musulmano. È così. È una religione che non si può né revocare né criticare. Il dogma è dogma. È per questa ragione che chi si è convertito da poco all'islam diventa abbastanza facilmente fanatico, intollerante e rigidamente osservante.

In generale, nessuna religione ammette di essere lasciata. Affermare pubblicamente il proprio ateismo è impossibile nella maggior parte dei paesi musulmani di oggi. Si osa a stento parlare di laicità, che non è negazione o rifiuto della religione, ma separazione della religione dalla sfera pubblica e politica. Questo incoraggia in un certo modo i sostenitori di un islam puro e duro, un islam interpretato alla lettera, senza sfumature, senza intelligenza, a voler fare i "giustizieri". Per chi lascia l'islam o non crede in Dio è raccomandabile agire con discrezione.

Anche il cattolicesimo è passato attraverso questa fase. Ha scatenato guerre, bruciato vivi i miscredenti, per secoli è ricorso all'Inquisizione.

Tra chi si converte all'islam c'è un numero significativo di uomini che, per sposare una donna musulmana, è costretto a diventare musulmano. Questi uomini lo fanno forse con sincerità, non strategicamente? Certo, ci sono poi coloro che si avvicinano all'islam per pura convinzione. Ho un amico, un francese di origine polacca che per una decina d'anni ha diretto la casa editrice Seuil, fondata da cattolici, che all'età di quattordici anni si è convertito all'islam perché ha trovato in questa religione la spiritualità di cui aveva bisogno. È diventato un grande specialista del poeta mistico Ibn Arabi.

Questo tipo di conversione è discreto, non fa parlare di sé. Queste conversioni esistono e non implicano alcuna provocazione. La fede si vive in silenzio, non tra agitazione e spettacolo.

Giustizia alla saudita

Il 20 ottobre 2007 il quotidiano francese on line "Rue89" riporta una curiosa notizia: "Arabia Saudita: duecento frustate per una donna violentata". Non è abbastanza, mi dico, ma è già un progresso. Lo stupratore si meriterebbe ben più che la frusta. Dovrebbe marcire qualche anno in prigione. Poi continuo a leggere e capisco che le duecento frustate, in realtà, sono per la vittima, la donna violentata. In un primo momento era stata condannata (soltanto) a novanta frustate. Ma d'accordo col suo avvocato aveva fatto ricorso. Come si permetteva? Criticava una decisione della giustizia? Alzare la voce per ricordare che la vittima ha diritto a un risarcimento? Era una cosa insensata. E allora, questa donna che ha osato mettere in discussione il verdetto sarà doppiamente punita. Si moltiplicano per due le novanta frustate, più una ventina in aggiunta là dove fanno male senza lasciare traccia. Così imparerà a farsi violentare e farà riflettere anche le altre donne!

Così funziona la giustizia in Arabia Saudita.

E il violentatore, anzi i violentatori? Erano in sei e sono stati condannati a una pena dai due ai nove anni. Quanto all'avvocato della donna, Abdul Rahman Al-Lahem, noto per la sua lotta per il rispetto dei diritti umani nel proprio paese, è incorso anche lui nei fulmini di questa giustizia. E ha dichiarato a "France-Presse" che il tribunale della piccola città di Al-Qatif gli ha ritirato la licenza e non potrà più esercitare la sua professione.

Curioso modo di intendere la giustizia. Se ho ben capito, la donna è stata punita perché, se è stata violentata da un branco di sei maschi, vuol dire che se l'era cercata, ovvero aveva provocato queste "brave persone", altrimenti non avrebbe subito tale oltraggio traumatizzante. Questa logica – lo sappiamo – trova riscontro anche in Europa. Quante volte abbiamo sentito dire "quella donna, vestita com'era, ha provocato quest'uomo che non ha potuto trattenere i suoi istinti!"

Nel nostro caso, sappiamo che la vittima appartiene alla minoranza sciita e che i suoi aggressori sono sunniti. Da qui la clemenza del giudizio e soprattutto la punizione della vittima.

L'Arabia Saudita è una potenza nel Golfo. Grazie alle sue risorse petrolifere, al suo ruolo di custode dei luoghi santi dell'islam e al suo rapporto privilegiato con l'America, svolge un ruolo importante nella regione e anche nel mondo. Ciò nonostante, malgrado i suoi miliardi di dollari e il suo esercito all'avanguardia, ha un sistema giuridico e sociale arcaico e segue ancora i vecchi schemi dell'epoca in cui il petrolio restava nascosto sotto la sabbia del deserto. L'evoluzione verso la modernità è interpretata in maniera particolare da questa cultura. Se si intende la modernità come emergere dell'individuo in quanto entità unica e singolare, come stadio in cui si riconoscono alla donna gli stessi diritti dell'uomo, possiamo dire allora che l'Arabia Saudita ne conosce solo gli aspetti tecnologici, ma ignora e in certi casi disprezza la libertà di cui dovrebbe godere qualsiasi persona, indipendentemente dal proprio sesso.

In un paese in cui la donna è obbligatoriamente velata, non ha diritto a guidare un'automobile né può contribuire all'evoluzione della società, si impedisce di fatto lo sviluppo della modernità. La modernità è un valore rimosso, poiché sarebbe un'emanazione dell'Occidente, nonostante sia un valore universale e sia stata celebrata dagli arabi fra il IX e il XII secolo, all'epoca dell'illuminismo islamico.

La storia della donna violentata si colloca in questo quadro, in questa concezione particolarmente primitiva dei rapporti fra uomo e donna. Se il profeta Maometto, la cui prima moglie era una donna d'affari più anziana di lui, ha dimostrato nel corso di tutta la sua vita considerazione e rispetto per le donne, molti musulmani oggi si credono zelanti relegandole in uno stato di inferiorità e segregandole. All'origine di questo comportamento c'è la paura che la moglie sfugga al marito ed esprima il suo desiderio di libertà e di emancipazione. Questa paura è stata ricondotta da Freud al rapporto complesso del maschio con la madre, poiché la moglie è l'altra individualità che dispone, o dovrebbe disporre, delle stesse libertà dell'uomo.

LO SPIRITO DELL'ISLAM

Sottomissione alla pace

Ultima religione monoteista rivelata, l'islam è in continuità logica, per quanto imprevista, col giudaismo e il cristianesimo. Può essere anzi considerato come una forma rinnovata di fede in un Dio unico, riprendendo e approfondendo i valori rispettosi della dignità umana contenuti nei testi sacri che hanno preceduto l'emergere della religione musulmana.

Il fatto che da una trentina d'anni l'islam e i musulmani siano dipinti dai media in modo negativo deriva dalla confusione prodotta da quei responsabili politici che hanno capito quanto potevano guadagnare inserendosi in una corrente religiosa per governare il paese. Di fatto, il potere temporale e quello spirituale non sono separati; l'islam è vissuto come una morale e una cultura, cosa che autorizza i politici a prendere il Corano come una Costituzione, mentre questa non è né la sua funzione né il suo statuto. In certe derive, "essere musulmano" è diventata un'identità più forte di quella che trae origine dal proprio paese natale e ciò rende quasi impossibile qualunque percorso laico.

Coloro che vogliono tornare ai fondamenti dell'islam chiudono questa religione in una dimensione atemporale, generando un nonsense nutrito di un pericoloso anacronismo.

È vero che "islam" vuol dire "sottomissione a Dio", alla sua parola, alla sua essenza, ma non dimentichiamoci che questa idea è nata per imporsi a una popolazione di beduini che adorava idoli di pietra; è arrivata per rompere con l'immaginario della gente della Mecca, che si accontentava di un paganesimo sommario e privilegiava la tribù rispetto al singolo individuo e alla sua responsabilità. L'islam è una reazione a questa anarchia e a questa forma di semplificazione senza visione metafisica. Non solo mette ordine fra popoli lasciati a se stessi, ma li guida verso la spiritualità, dando senso alla vita e alla morte.

Quando nel 610, all'età di quarant'anni, Maometto riceve la Rivelazione attraverso la visione dell'angelo Gabriele che gli annuncia che Dio lo ha scelto come suo messaggero, si produce una svolta nella storia. Come gli altri profeti non sarà creduto, sarà violentemente combattuto, cosa che conferirà alla sua missione una legittimità fondante. Dovrà lasciare La Mecca nel 622 e continuerà a diffondere la parola di Dio a Yathrib, città che sarà ribattezzata Medina dopo la sua morte, nel 632. Questo viaggio segnerà l'inizio dell'era musulmana, l'inizio di un calendario lunare, quello dell'Egira, che significa "emigrazione".

Poco prima della sua morte, Maometto torna alla Mecca per il suo pellegrinaggio di addio, perdonando coloro che gli hanno fatto la guerra; gli arabi, convinti dalle sue azioni e dal suo messaggio, a quel punto si sentiranno eredi di questa missione e inizieranno la conquista della Persia e di Bisanzio. Una ventina di anni dopo, i seguaci del profeta si incaricheranno di raccogliere la parola di Dio in un libro, il Corano, testo sacro, inimitabile e fondativo, che rappresenta l'unico miracolo riconosciuto dall'islam.

Ho ripercorso brevemente questa vicenda per fornire qualche chiave in più per capire l'islam, facendo riferimento a come si è sviluppato.

La sottomissione a Dio contiene l'idea di pace, saggezza e tolleranza. Sottomettersi non vuol dire rinunciare bensì esistere. Questa attitudine responsabilizza l'individuo che si rivolge direttamente a Dio; qualunque gerarchia nell'islam è falsa (sono gli sciiti a instaurare dei gradi nell'esercizio della fede). Non ci sono rabbini né preti. L'uomo è responsabile dei suoi atti e in Dio solo troverà il perdono. Questa nozione di perdono è onnipresente nelle sure rivelate.

La jihad è prima di tutto "sforzo su se stessi"; in caso di guerra contro i musulmani, come ai tempi delle crociate, è invocata per difendere la propria fede e la propria patria.

I valori essenziali dell'islam sono gli stessi assunti dalle altre due religioni monoteiste con alcune varianti, più o meno importanti. Allah nel Corano richiede ai credenti di riconoscere e rispettare i profeti che hanno preceduto Maometto; insiste sulla diversità e le differenze fra i popoli e contemporaneamente li incita a conoscersi reciprocamente e a scambiare i propri saperi.

L'islam, quando ben compreso, ha permesso al mondo arabo di avere un'età dell'oro fra il IX e il XII secolo. Il Corano fa l'elogio della ragione, della moderazione, della pazienza. Ma ogni testo religioso si presta a molteplici interpretazioni. Tutto dipende dal livello di sensibilità intellettuale di colui che lo interpreta. Ci fu un tempo in cui l'islam era la principale fonte di ispirazione dei grandi poeti, i sufi per la precisione. Oggi è mal gestito da persone la cui principale caratteristica è l'ignoranza, cui si aggiunge la confusione, che fa buon gioco ai loro interessi.

Più che mai i musulmani hanno bisogno di tornare ai testi e di separare ciò che è religioso da ciò che è politico, per restituire all'islam il suo senso autentico: sottomissione allo spirito di pace e tolleranza.

Non è l'islam che deve cambiare ma i musulmani!

Caratteristica di ogni religione è quella di essere conservatrice. Le religioni imprimono in modo definitivo e non equivoco i loro valori e il loro messaggio. Il dogma è sacro, intoccabile, immutabile. Questo è il cuore inalterabile del monoteismo. È a partire da questa premessa che il credente, colui che si definisce "fedele", è libero di interpretare i testi e di dare a essi un senso coerente e logico. Egli può anche rifiutare la razionalità e fare una lettura letterale, parola per parola, del testo sacro, in un modo che spesso dà adito ad aberrazioni, quali sono del resto l'integralismo e il fanatismo.

La fede in Dio non esclude in alcun modo la libertà di pensiero. Al contrario, è Dio ad aver creato questa libertà e a incoraggiare l'essere umano a usarla affinché la sua fede sia fondata su un valore essenziale quale la libertà. La storia dell'islam è costellata di tentativi di razionalizzazione del pensiero e dell'azione islamica. La scuola dei mutaziliti, per esempio, dà del Corano un'interpretazione fondata sul potere sovrano della Ragione, essendo Dio stesso Ragione. Contro questa scuola si sono rivolti i rappresentanti del conservatorismo e della tradizione, i quali rifiutano con veemenza la nozione di libero arbitrio dell'essere umano. Questo dibattito si è dispiegato al massimo nel IX secolo, quando si è cominciato a parlare della natura della Parola di Dio. Il Corano è "creato" (razionalisti) o "increato" (tradizionalisti)? Si tratta di due opposte visioni del mondo. L'islam che prevale oggi nei paesi del Golfo, per esempio, segue la dottrina di Muhammad ibn 'Abd al-Wahhab (XVIII secolo), il wahabismo, sistema rigorista che applica la *sharia*, vale a dire la giurisdizione dogmatica tale quale era nel VII secolo, come se il mondo non fosse cambiato né evoluto.

Il punto, quindi, è sapere come leggere e interpretare il Corano. Bisogna leggerlo in modo letterale o ridare tutta la sua forza a questa parola la cui ricchezza sta nell'uso dei simboli e delle parabole?

Oggi gli eccessi degli attivisti fondamentalisti e la loro chiara ignoranza a proposito del senso essenziale del Corano, cioè della sua interpretazione umana, razionale e adeguata all'epoca in cui si vive, finiscono per essere controproduttivi e danneggiano non solo l'islam ma anche il loro stesso progetto di società. Di fatto però – mi si può far notare – ci sono sempre più donne velate, una recrudescenza nelle frequentazioni delle moschee e una progressiva affermazione dell'identità musulmana di fronte all'Occidente. È vero, il conservatorismo fa dei passi avanti, ma i sostenitori di un islam tranquillo, pacifico, sereno e autentico sono altrettanto in crescita. Forse non si fanno sentire spesso, non hanno visibilità mediatica, non osano affrontare i fanatici capaci di pronunciare delle *fatwa* e anche di ordinare delle esecuzioni o delle radiazioni dalla comunità per "apostasia".

Prima di vedere come sia possibile un nuovo islam, smontiamo i meccanismi dei "tradizionalisti". Molto presto questi hanno capito che bisognava arrivare ai media, in particolare alla televisione e poi a Internet. I canali televisivi satellitari che inondano le case del mondo musulmano sono nel loro complesso nelle mani dei Fratelli musulmani (movimento nato in Egitto nel 1928), esperti di metodi di propaganda e demagogia. Un egiziano, giovane, bello, vestito alla moda europea come un indossatore, ha incantato il cuore di milioni di donne musulmane di tutti i paesi. È un fenomeno del mondo dello spettacolo. Si chiama Amr Khaled e si ispira allo stile degli evangelici americani, adattandosi evidentemente alla mentalità araba tradizionale e conservatrice. Sa parlare alle donne! Usa le parole giuste, racconta aneddoti presi dalla vita quotidiana, seduce col suo charme e la sua intelligenza. Ha avuto successo perché ha rotto con l'immagine obsoleta dei teologi barbuti, che usano una lingua dogmatica.

Tuttavia, non esiste solo Amr Khaled. Ci sono anche altri attivisti, donne, professori universitari. Giocano tutti sull'opposizione alla cultura occidentale (di cui approfittano non poco a titolo privato!) e affermano che tutti i mali, tutti i problemi, trovano soluzione nel Corano. Questo pensiero semplicistico fa molti danni. Sottrae all'uomo il senso di responsabilità (cosa assolutamente contraria allo spirito dell'islam) e lo lascia in mano a persone che pensano al suo posto. In questo modo non solo si fanno emergere molti controsensi, ma si affermano anche con forza errori e menzogne senza alcuna spiegazione.

Prendiamo l'esempio del velo. Da qualche decennio assistiamo alla sua diffusione fra le ragazze e le donne mature. Il caso estremo è rappresentato dal burqa e dal niqab, che non hanno niente a che vedere con l'islam ma provengono dalle tradizioni di paesi come l'Afghanistan e il Pakistan, che coprivano in questo modo le donne ben prima dell'islamizzazione. Il velo è stato introdotto dal Corano in circostanze precise. Mahmoud Hussein (pseudonimo di due scrittori franco-egiziani) ha scritto nel 2009 un libro molto interessante, *Penser le Coran* (edizioni Grasset), in cui racconta come il velo è stato imposto alle donne: "Successe a Medina. Le donne avevano bisogno di uscire dalla città, all'imbrunire. In quelle occasioni, capitò spesso che venissero importunate da degli sbandati. Lo raccontarono ai loro mariti, che a loro volta lo raccontarono al profeta e fu in seguito a questi episodi che venne rivelato al profeta il versetto coranico. Coprendosi con uno scialle, le donne musulmane libere potevano tranquillamente farsi riconoscere e allo stesso tempo farsi rispettare, anche nell'oscurità della notte" (cfr. sura XXXIII, versetto 59).

Del resto, l'islam ha rifiutato fin dall'inizio qualunque segno di ostentazione; la morale musulmana invita alla discrezione, al pudore e perfino al silenzio. L'ostentazione religiosa, come per esempio l'affermazione della propria identità musulmana attraverso abiti che coprono l'intero corpo, è assimilata dall'islam a una forma di ipocrisia. È risaputo che Dio condanna gli ipocriti e i loro simili, vale a dire coloro che deformano il suo messaggio per un'interpretazione fanatica e ideologica del testo sacro. In nessun passo del Corano è consentito uccidersi e uccidere degli innocenti. La jihad si giustifica solo nel contesto di una guerra in cui bisogna difendersi battendosi per salvare la propria pelle e il proprio paese. Inoltre la jihad ha un altro senso, quello di sforzo per meglio comprendere il pensiero di Dio e interpretarlo in modo intelligente.

Una donna che entra in una moschea, una sinagoga o una chiesa, è tenuta ad avere un abbigliamento decente. Da qui deriva il consiglio di coprire i capelli, considerati come un elemento erotico. Ma da questo a coprire una donna dalla testa ai piedi fino a farla diventare una specie di "fantasma nero" che non lascia intravedere neanche un centimetro del suo corpo, c'è un abuso e una caricatura che sono in contraddizione con lo spirito e la nobiltà dell'islam.

Affinché questa immagine dell'islam venga corretta o neutralizzata, serviranno tempo e democrazia. Senza libertà di pensiero, senza audacia e razionalità, l'islam sarà sempre più confuso con ciò che esso non è e non è mai stato. Ovviamente molti crimini sono stati commessi in suo nome! Ma al di là di questa ideologia omicida – dei talebani e delle persone di Al-Qaeda – esiste un reale problema politico nella maggior parte dei paesi musulmani. Finché i governi non saranno retti da un'autentica democrazia, gli integralisti continueranno ad approfittare di questa lacuna per far trionfare le loro tesi e a indottrinare sulla loro scia giovani che non hanno più fiducia in politici che si fanno eleggere spesso con più del 90 per cento dei voti e poi cedono il potere alla loro progenie. Il problema, insomma, è politico, non religioso, anche se i sostenitori della laicità – che è rispetto delle religioni ma separazione di esse dalla sfera politica – fanno fatica a far sentire la loro voce.

Bisogna dire, come ha fatto Mahmoud Hussein, che "non si può penetrare il senso della maggior parte dei versetti del Corano senza collocarli nel contesto storico in cui sono stati rivelati" e poi "come pretendere, quattordici secoli dopo, che tutti i versetti del Corano siano da seguire tali quali sono, alla lettera?"

Dall'epoca del profeta, il mondo è cambiato in tutti i suoi aspetti. L'islam, nella sua essenza, continua a incoraggiare l'essere umano ad adattarsi al mondo, a cercare ovunque il sapere e ad andare incontro agli altri popoli, perché le loro differenze sono un'occasione di arricchimento. Aspettiamo che altri oratori prendano la parola per liberare l'islam da questa immagine invisa e falsa, che gli fa torto e lo mette in pericolo di fronte agli altri popoli. Per realizzare questo programma, bisognerà rivedere i manuali scolastici e instaurare la democrazia. Un programma quasi utopico.

La parola *jihad* proviene dal verbo *ijtahada* che in arabo significa "compiere uno sforzo per fare con successo un lavoro", ma anche una ricerca, un'analisi o degli studi, per esempio. La jihad più volte citata nel Corano significa "battaglia", ma si tratta di una battaglia particolare, ossia del lavoro che ciascun uomo, ciascun credente, deve compiere su se stesso al fine di perfezionarsi, per rafforzare la sua fede, seguire il cammino che porta a Dio e diventare un essere migliore. Il profeta Maometto aveva rivelato che "il vero combattente è colui che combatte se stesso", ovvero che si adopera nel senso della morale e della virtù per realizzare i valori fondamentali predicati dall'islam. La *jihad al Akbar*, la "grande jihad", è quella che vede l'uomo combattere i propri vizi e difetti, mentre la *jihad al asghar*, la "piccola jihad", è quella che consiste nel fare la guerra contro i nemici dell'islam, coloro che, all'epoca della rivelazione, continuavano a dubitare del messaggio divino e ad adorare idoli di pietra o a combattere in tutti i modi la persona del profeta. Nella sura IX, versetto 36, si legge: "Gli idolatri combatteteli totalmente, come essi vi combattono totalmente, e sappiate che Iddio è con quei che lo temono".

Nel tempo, progressivamente, queste sfumature sono scomparse e ormai sussiste un'unica jihad, la lotta armata, la guerra. Questa guerra in nome di Dio è detta "santa". Essa proibisce che sia versato il sangue di un musulmano, quindi riguarda soltanto i nemici dichiarati dell'islam. Occorrerebbe perciò definire chi sia il nemico di questa religione; si tratta forse di chi ha convinzioni diverse, di chi appartiene a un'altra religione o di chi contesta la fede musulmana con l'aggressione armata, attaccando i musulmani e costringendoli a difendersi? Dobbiamo ricordare un punto cruciale: l'islam esige dal credente il riconoscimento e il rispetto delle altre due religioni monoteiste. Il Corano mette in primo piano le qualità peculiari di Gesù, considerato un profeta e messaggero esemplare di Allah. Dunque Gesù è venerato e ammirato. Il musulmano deve venerarlo come venera Abramo, Mosè e Maometto. Dunque, non sono nemici dell'islam coloro che appartengono a queste altre religioni, ma coloro che sono nemici del monoteismo, che si tratti indifferentemente di quello predicato dall'islam, dal cristianesimo o dall'ebraismo.

Per molto tempo la jihad è stata difensiva. Solo più tardi è divenuta offensiva. Durante le crociate, i musulmani avevano dovuto difendersi perché l'iniziativa della guerra era stata presa dal papa Urbano II (1096). La guerra santa ai musulmani fu dichiarata in ogni parte del mondo.

A partire dall'epoca della prima crociata, che è proseguita fino al 1099, la nozione di jihad si è estesa a significare ogni guerra dichiarata in territorio islamico. Così sono state condotte guerre contro l'occupazione coloniale, certo per liberare il paese in nome della dignità umana, ma anche per far trionfare l'islam umiliato dal colonialismo cristiano. Ancora oggi si confonde l'Occidente con la cristianità, non facendo differenza fra i popoli e le loro credenze.

Nel Corano si dice chiaramente che la difesa è meglio dell'attacco, semplicemente perché l'islam si definisce come "sottomissione alla pace"; secondo il Corano ogni uccisione provoca ingiustizie e incoraggia la sedizione (*fitna*, in arabo), e *Dar al-Islam* ("la casa dell'islam") è *Dar al-Salam* ("la casa della sottomissione e della pace"). La battaglia deve essere spirituale per far prevalere i meriti della religione islamica. Questa battaglia – che è lavoro su se stessi – è quella dei mistici, dei sufi, di coloro che hanno fatto dell'amore di Dio la loro unica preoccupazione. I più grandi sufi dell'islam sono anche grandi poeti come Al-Hallaj, Ibn Arabi, Jalal al-Din Rumi.

Va sicuramente riconosciuto che oggi siamo lontani da questo spirito di pace e spiritualità. Le guerre, le ingiustizie e le umiliazioni non risparmiano più le popolazioni arabe e musulmane nel Vicino Oriente. Ogni giorno vengono uccisi innocenti, che sia in Iraq o in Palestina. Case fatte saltare in aria con la dinamite, famiglie lacerate e distrutte. I bambini sono privati della loro infanzia, trovandosi a vivere in condizioni disumane, e crescono in uno stato di perpetua emergenza e guerra. Questi bambini dei campi, che conoscono della vita soltanto l'occupazione, le bombe e le sepolture dei resistenti, troveranno nella jihad il modo per affermare la loro volontà di essere riconosciuti e di vivere in uno stato libero e indipendente. L'ideologo di Al-Qaeda, il medico egiziano Ayman Al-Zawahiri, pensa che "la Palestina sia un punto di convergenza di tutti gli arabi, credenti o meno".

I discorsi di coloro che utilizzano l'islam per reclutare giovani soldati della resistenza seducono per la loro semplicità e per le promesse di ciò che la condizione di *shahid* (*shahid fi sabili Allah*, "martire sulla strada di Allah") riserverebbe loro. In Palestina la jihad islamica – movimento di resistenza contro l'occupazione israeliana – si differenzia da Al-Fatah, organizzazione di lotta e di resistenza di impostazione laica.

L'elogio del martire, colui che in nome dell'islam sacrifica la propria vita per la causa, è contestato da gran parte della dirigenza palestinese. Si ammette che, se un combattente muore per le pallottole delle forze occupanti, egli sia comunque sepolto come martire; tutti in questi casi sostengono che egli non è morto, ma che è stato *shahid*, "martirizzato" (*istash 'hada*). Tuttavia, che si addestrino dei giovani a trasformarsi in bombe umane destinate a farsi esplodere in un ristorante o in un autobus, per morire uccidendo dei civili, non ha nulla a che vedere con la jihad nel suo senso originario, né tanto meno con i valori dell'islam.

Nell'islam il suicidio è formalmente vietato, ed è punito con l'inferno. Il concetto di kamikaze è del tutto estraneo alla cultura araba e musulmana. Fu l'ayatollah Khomeini, durante la guerra tra Iraq e Iran, a mandare in prima linea i giovani, dicendo loro che sarebbero morti da *shahid* e che in seguito sarebbero saliti in paradiso, dove Allah li avrebbe ricompensati. In seguito, altri movimenti islamici in Libano e in Palestina utilizzarono i medesimi argomenti. Anche i ceceni hanno fatto ricorso ai kamikaze, e in Bosnia, Algeria, Kashmir, Albania, Kurdistan e Filippine si è combattuto sotto la bandiera della jihad.

Questa apologia della morte a discapito dell'istinto di vita è estranea all'Occidente e costituisce un'arma nuova e sconosciuta. Che fare di fronte a chi ha vinto la paura della morte sostituendola con l'ardente desiderio di morire uccidendo il prossimo?

Come si è arrivati a questo punto?

Non si può capire questo fenomeno senza passare per la guerra in Afghanistan contro l'occupazione sovietica. La ripresa della jihad era iniziata nei territori afghani. Gli americani, nella loro opposizione ai sovietici, hanno lasciato fare e hanno anche incoraggiato e finanziato i mujaheddin, fra cui un certo Osama Bin Laden!

A partire dal 1990 Al-Zawahiri e Osama Bin Laden hanno invocato la jihad per lottare contro l'Occidente, per unire i musulmani di tutto il mondo nella famosa *umma* ("nazione") islamica. Gilles Kepel nel suo libro intitolato *Fitna* (Laterza, 2004) ricorda il loro obiettivo: "Il loro scopo: condurre una guerra nel cuore dell'islam, destinata prima e più di qualsiasi altra cosa a garantire ai militanti jihadisti il potere sugli animi dei loro correligionari, per instaurare ovunque, per mezzo della lotta armata, uno stato islamico". I bambini dell'islam vennero chiamati a riparare le mancanze e i comportamenti disfattisti dei loro genitori e dei loro nonni. La parola araba, la parola musulmana, l'identità arabo-musulmana aveva bisogno di affermarsi e vendicarsi. Quella umiliazione del cittadino arabo era diventata intollerabile: che fosse all'interno dei paesi arabi in cui le libertà mancavano, o che fosse nei territori occupati, la *umma* islamica doveva reagire.

Al-Zawahiri spiega che bisogna "prepararsi a una battaglia che non è confinata a una sola regione, ma che prende di mira tanto il nemico apostata interno quanto il nemico giudeo-crociato esterno". Il nemico interno è rappresentato dai regimi arabi che non applicano in modo sistematico la *sharia*, quindi, praticamente, tutto il mondo arabo. Il caso dell'Arabia Saudita è a parte; guardiana dei luoghi santi, il potere della famiglia reale è contestato sempre di più per ragioni sia politiche che religiose. Il terrorismo non l'ha risparmiata, anche se è questa nazione ad aver formato i professori di una linea dell'islam radicale che si chiama wahabismo. Al-Zawahiri spiega anche che le operazioni-martire (i kamikaze) hanno il vantaggio di infliggere numerose perdite all'avversario al costo di un'unica vita umana!

In un primo tempo il terrorismo in nome di questa "purificazione islamica" colpirà i paesi musulmani come l'Egitto, il Sudan e soprattutto l'Algeria, in cui la guerra civile farà più di centomila morti. È solo a partire dall'11 settembre 2001 che si può datare l'inizio dell'offensiva antioccidentale. La jihad è uno strumento di lotta. L'Europa viene minata dall'interno; dei mujaheddin vi lavorano e aspettano un segnale per iniziare le operazioni. È successo per esempio con l'attentato di Madrid dell'11 marzo 2004, in cui alcuni attentatori suicidi nei treni delle periferie hanno fatto 191 morti e circa 2000 feriti, attentati rivendicati dalle brigate di Abou Hafs al-Masri, appartenenti ad Al-Qaeda.

È evidente che gli ideologi della jihad agiscono nel disprezzo dei testi sacri e perseguono obiettivi che assicurano loro il dominio del mondo musulmano creando ovunque delle "repubbliche islamiche".

Cosa fare per mettere fine a questa spirale di violenza? L'Europa, che conta ormai svariati milioni di musulmani sul suo territorio, potrebbe instaurare un dialogo con questa popolazione, facendo sì che questi nuovi europei si sentano a casa loro, non esclusi ma integrati, coinvolti dal comune destino dell'entità europea nella quale l'islam, in quanto religione e cultura, ha il suo posto legittimo. È questo islam tranquillo e maggioritario che minerà i tentativi di destabilizzazione e il terrorismo. Parallelamente, bisogna adoperarsi perché sia resa giustizia ai palestinesi, perché la pace sia giusta e duratura per entrambi i popoli, israeliani e palestinesi. Il giorno in cui un'autentica pace regnerà sulla Palestina, i promotori della jihad saranno in imbarazzo. Analogamente, il giorno in cui i dirigenti europei avranno convinto i musulmani della loro disponibilità ad accoglierli e vivere con loro, i sostenitori della jihad saranno marginalizzati o perfino neutralizzati. La jihad trova dei candidati là dove regnano disperazione, ingiustizia, umiliazione, assenza di riconoscimento.

Per vincere l'onda della jihad, è necessario che l'Europa si impegni in modo più deciso accanto ai suoi cittadini di religione musulmana. È un lavoro lungo e difficile, ma è questo il modo per sconfiggere coloro il cui fine esplicito è seminare morte e terrore nel mondo. Purtroppo, la seconda elezione di Bush ha costituito una brutta notizia per il destino della libertà e per la pace, mentre ha riconfortato gli estremisti e i terroristi; è un dato di fatto che la politica americana in Iraq (più di centomila vittime da quando sono arrivati gli americani) ha generato sempre più terroristi.

Mutua ignoranza

Ibn Khaldun sosteneva che "colui la cui lingua materna non è l'arabo fa più fatica a imparare le scienze" e a istruirsi. Pensava all'epoca in cui il mondo della cultura era indissociabile dalla lingua araba.

Oggi, i secoli dei Lumi sono ormai lontani e la lingua araba, malgrado la sua eccezionale ricchezza e bellezza, non seduce più i popoli non-arabi. Dopo aver descritto e analizzato lo stato del mondo arabo dell'epoca, Ibn Khaldun diceva che "la cultura dell'*umran hadari* ('civiltà urbana') costituisce il punto di sviluppo più alto che un popolo può raggiungere: è il punto culminante dell'esistenza di questo popolo e il segno che ne annuncia la decadenza [...]. Da questo punto in poi, la cultura inizia a farsi sempre più retrograda, a corrompersi e a cadere nella decadenza".

Ibn Khaldun non era solo un grande storico e sociologo ma era anche un visionario. Non era compiacente con nessuno, né con gli arabi, di cui riconosceva le virtù, né con i beduini. Tuttavia, ha scritto delle frasi che assomigliano a sentenze definitive, come per esempio: "I paesi conquistati dagli arabi crollano rapidamente" o "Gli arabi possono regnare solo grazie a qualche struttura religiosa, o grazie a qualche profeta o santo". Attribuiva tutto questo al loro "innato carattere selvaggio", al loro nomadismo e al loro rifiuto delle leggi.

Cosa ne è della cultura arabo-musulmana di oggi? Dico arabo-musulmana perché è impossibile oggi dissociare la cultura araba, l'identità araba, dalla religione musulmana. Non che l'arrivo dell'islam nel VII secolo abbia significato o imposto questa confusione, ma è soprattutto dal momento in cui la politica si è fatta carico della religione in quanto ideologia per governare, dominare, mentire, corrompere, che l'equazione fra arabi e musulmani è diventata inevitabile, mentre è noto che esistono delle minoranze arabe cristiane, ortodosse, druse ecc. Questa svolta ha rappresentato un impoverimento per la cultura araba, un indottrinamento delle mentalità, che in questo modo si adagiano nel conforto dell'irrazionale rifiutando le esigenze della ragione, arrivando a lottare contro la separazione di religione e stato.

La legge che sancisce questa separazione, ovvero la legge sulla laicità, ha fatto molta fatica a imporsi in una repubblica come la Francia. È stato necessario lottare per vincere la resistenza della chiesa cristiana e la legge esiste dal 9 dicembre 1905. Ancora oggi si verificano qua e là tentativi di svuotarla di contenuto.

Il mondo arabo non ha una tradizione di laicità; percepisce dunque questo valore, questa vittoria dell'individuo sul clan come un rifiuto dell'islam, mentre la laicità è una visione del mondo, una filosofia del vivere insieme nel rispetto delle convinzioni e delle credenze di ciascuno. La laicità vieta che l'ambito religioso invada quello pubblico, politico, perché esso deve essere confinato nell'ambito privato. La religione deve appartenere ai cuori, non alle piazze, alle scuole o agli ospedali.

Da dove viene questo rifiuto di separare i due ambiti? L'islam sarebbe così fragile, così vulnerabile? Perché la religione è diventata un rifugio identitario, che dà sicurezza all'essere umano? Perché l'islam che per tanto tempo è stato dalla parte dei Lumi, soprattutto fra il IX e il XII secolo, si trova oggi quasi in mano ai sostenitori del regresso e in certi casi di un violento oscurantismo?

Quando Mustafa Kemal Atatürk ha deciso di modernizzare la Turchia nel 1923, ha introdotto e imposto la laicità, ha rinunciato alla scrittura araba e ha sviluppato un nazionalismo vendicativo, un modo per far dimenticare il crollo dell'impero ottomano. Questa "modernità" è stata poi accompagnata dall'isolazionismo della Turchia, che ha guardato più all'Occidente cristiano che al mondo arabo e islamico.

La repressione dell'islam ha spesso sortito la conseguenza di un ritorno del religioso con una forza insospettabile.

In certi paesi del Vicino Oriente come l'Iraq e la Siria, la laicità non era iscritta nei testi della legge ma era vissuta nei fatti. C'è voluta la rivoluzione iraniana, seguita poi dalla guerra del Golfo, perché uno stato come l'Iraq si rifacesse a quella bella immagine dell'islam. Da quel momento l'Egitto, che pure era ed è in lotta con i Fratelli musulmani praticamente dal 1928, data della loro costituzione, non può spingere la propria coerenza fino alla separazione fra religione e stato. Al contrario, fa un numero significativo di concessioni alla religione, che controlla ma che di fatto sconfina ampiamente nell'ambito legislativo ed esecutivo.

Un po' ovunque nel mondo arabo l'islam si allontana dai suoi testi, dal suo reale spirito; sacrifica la sua spiritualità e trasforma i suoi simboli sacri in un vessillo identitario e ideologico. L'islam non è così, ma la responsabilità è degli uomini che lo manipolano in funzione dei loro bisogni politici, pensando di poter abbindolare i popoli con discorsi lenitivi. È il fallimento delle ideologie progressiste, lo scacco del progetto della modernità, il vuoto lasciato dalle politiche dopo l'indipendenza che non ha saputo parlare ai popoli né agire in modo coerente di fronte al potere dominante. L'ignoranza è stata eretta a cultura.

Secondo i fondamentalisti, non c'è bisogno di cercare il sapere altrove: nella religione c'è tutto e questo è rassicurante! Si tratta di un discorso pericoloso, che contraddice lo spirito dell'islam, che fa invece l'elogio del sapere, della differenza e dell'incrocio di culture.

In questo periodo, non solo ci si è allontanati dall'età dell'oro del mondo arabo e musulmano, non solo si è tradito lo spirito e l'eredità di califfi eccezionali come Mu'awiya (che ha regnato dal 661 al 681), Al-Mansur (754-775), Harun Ar-Rashid (786-809), filosofi come Al-Kindi, Abu Sulayman e anche il grande storico Ibn Khaldun (anche se quest'ultimo ha condannato Averroè e Avicenna che, pure, aveva ammirato), ma soprattutto si è regrediti e si è approfondito sempre di più l'abisso che separa il mondo arabo-musulmano dal resto del mondo.

Il tradimento dei Lumi proviene dall'ignoranza. Ma l'ignoranza è coltivata, banalizzata, diffusa facilmente e non smette di guadagnare terreno, affinché la cultura sia impedita a svilupparsi, sia deviata dai suoi obiettivi o venga del tutto cancellata.

Se l'ignoranza avanza, non avanza però a viso scoperto. Si trucca, si agghinda di pseudocultura, fa passare per arte quella che è la sua negazione, incoraggia la produzione di libri a gloria della religione e condanna la creazione letteraria libera, immaginaria, audace.

Questa negazione dei Lumi arriva fino al punto di instaurare la censura non più di stato ma religiosa. Così, Nagib Mahfuz, il cui romanzo *Awlad Haratna* era stato vietato dalla censura di stato al momento della sua pubblicazione circa quarant'anni fa e che una casa editrice si propone oggi di ristampare, ha detto che lo pubblicherà solo se la moschea di al-Azhar lo autorizza! Lui che nell'ottobre 1994 è stato l'obiettivo di un attentato perpetrato da un fanatico che si richiamava all'islam, ha sentito il bisogno di essere protetto dai sostenitori di un islam "puro e duro". Questo tipo di islam, quello dei fanatici, è un islam impoverito, spogliato del suo umanesimo e della sua spiritualità. Il suo spirito è alterato, falsificato e scambiato con un vergognoso commercio.

Fra Oriente e Occidente esistono così tanti malintesi che bisogna iniziare dal decostruire i pregiudizi, i cliché, le idee precostituite, le generalizzazioni e precisare le parole e le cose.

ORIENTE-OCCIDENTE

Vivere insieme

Voltaire diceva a proposito del fanatismo "che è per la superstizione ciò che il delirio è per la febbre, la rabbia per il colera. Colui che ha delle estasi, delle visioni, che scambia i sogni per realtà, e le sue fantasie per profezie, è un entusiasta; colui che sostiene la sua follia con il delitto è un fanatico". È anche una forma esclusiva di amore per la verità, salvo che per il fanatico solamente la sua verità ha diritto di esistenza. Non c'è posto per il dubbio, non c'è modo di immaginare che esistano altri modi di vedere e di vivere. Solo le sue convinzioni hanno valore e dovrebbero diventare quelle di tutti.

Il fanatico non ama il dualismo, lo sguardo allo specchio; non sopporta discutere, scambiarsi delle idee, dibattere e arrivare certe volte a riconoscere che le idee altrui hanno altrettanto valore e verità delle proprie. Non ama gli intermediari, gli operatori sociali, quelli che stabiliscono relazioni, che costruiscono ponti fra le differenze.

La rivoluzione iraniana, fin dai suoi esordi, ha tentato di uccidere coloro che operavano per l'avvicinamento di Oriente e Occidente. Il fanatico ama solo se stesso o chi è altrettanto fanatico nel sostenere l'opinione opposta. La guerra civile algerina degli anni novanta è iniziata eliminando gli intellettuali che volevano far dialogare i francofoni e coloro che parlavano arabo, i religiosi e i laici. L'Algeria ha perso in pochi mesi una parte significativa della sua élite intellettuale.

Tutto ciò in nome di una religione trasformata in ideologia mortifera per i bisogni della causa. Si ha un bel dire e ripetere che l'islam è estraneo a questa ideologia, che tutto, nel Corano e nei testi del profeta, è a favore della tolleranza e del dialogo; i fanatici non demordono. Agiscono in nome della religione e per il bene dei musulmani si sacrificano.

In Marocco questo radicalismo non esiste ancora, anche se ci sono stati dei tentativi in tal senso che hanno causato la morte di decine di persone innocenti. L'islamismo marocchino ha questo di particolare: che è sempre esistito e non è mai finito nella violenza omicida. Il Marocco ha avuto da sempre comunità che si sono espresse liberamente nelle loro differenze rispetto all'ortodossia melchita. Questa tradizione di discussione fa sì che il cittadino marocchino oggi non sia stupito di vedere emergere un movimento politico con la chiara ambizione di "moralizzare" la vita sociale e culturale del paese.

Questa idea di "igiene" è un alibi certamente sincero, ma tale sincerità non impedisce ai fondamentalisti di fare danni e di andare a riempire il vuoto culturale che domina il paese. Dietro tutto ciò, e al centro delle preoccupazioni dei militanti, c'è lo spettro della donna, della condizione femminile, della sessualità femminile, come un'ossessione. L'islamismo esacerbato vuole allontanare la donna dalla vita attiva e vuole mantenerla in uno spazio chiuso affinché non sia vista, dunque desiderata o semplicemente apprezzata per il suo aspetto. Tutto ruota intorno alla questione dei costumi sociali e della loro evoluzione.

Il livello di socializzazione di una società si misura dal modo in cui la donna è trattata, come è considerata, quale ruolo gioca nella società attiva, qual è il suo statuto, il suo potere, la sua libertà. Osservare queste cose è il modo migliore per misurare il grado di progresso di una società.

In Marocco siamo in una situazione ambigua e paradossale. Le donne sono sempre più emancipate: non hanno ancora gli stessi diritti degli uomini, ma sono stati fatti dei passi avanti e si constata che partecipano sempre di più alla vita politica, economica e culturale del paese. Lavorano, si battono per farsi posto in un mondo tutto maschile. Allo stesso tempo, alcune di loro difendono il discorso islamista e vi si identificano. Assumono posizioni moralizzatrici, con la volontà di "pulire" la società dal vizio e dalla delinquenza.

Forse il Marocco dovrà passare per questa esperienza islamista per provare, infine, che la morale e la paura della donna, o più esattamente della sessualità della donna, non risolveranno i problemi più importanti e seri della nostra società. Il Marocco ha trascurato – e continua a trascurare – l'apporto della cultura allo sviluppo economico e alla realizzazione della personalità del cittadino. Senza cultura, senza impegni seri in questo senso, senza progetti culturali in tutto il paese, nelle città e nelle campagne, manterremo il paese in uno stato di biasimevole deperimento culturale che scava un vuoto profondo, ed è in questo vuoto che va a inserirsi l'ambizione islamista, perché questa si presenta come un progetto culturale, morale e riformatore.

È urgente stabilire un dialogo chiaro e serio con tutti i movimenti, perché ciascuno possa esprimere i suoi desideri e affinché si faccia l'abitudine ad accettare che il Marocco è composto di cittadini diversi: alcuni convinti della loro fede, altri felici di praticare la propria religione in piena libertà e altri, infine, che vorrebbero che la religione restasse nel campo del privato e che non invadesse il dominio pubblico, detto altrimenti, che vorrebbero una separazione fra religione e stato, perché possa svilupparsi una autentica laicità. La laicità non è il rifiuto della religione, di tutte le religioni. Il suo fondamento è che il credo religioso non interferisca col campo politico e culturale.

Un giorno, dopo una conferenza alla facoltà di Lettere di Rabat, uno studente si è alzato e mi ha posto questa domanda: "Lei crede in Dio?" Rumore in sala e poi un silenzio sospetto. Immaginavo che tutti volessero pormi questa domanda, ma solo lui aveva osato. Mi sono preso un po' di tempo e poi gli ho detto: "La cosa non la riguarda; è una questione privata e non sono qui per raccontarvi la mia vita!" Incomprensione, schiamazzi, e poi di nuovo silenzio. Ne ho approfittato per esporre la mia idea di laicità. A quel punto, gli animi si sono calmati, anche se non tutti erano d'accordo; in ogni caso, mentre me ne andavo, una ragazza con il foulard mi ha avvicinato per dirmi: "Detto tra noi, lei è un credente; non è possibile che una persona come lei non sia un buon musulmano".

In effetti, è difficile instaurare il rispetto delle convinzioni altrui e intraprendere un dialogo intelligente su questo aspetto della nostra vita. Ciò che manca di più al Marocco è la libertà di dibattito e la volontà di mutuo rispetto che permette di esprimere le proprie più sincere opinioni senza correre il rischio di essere linciati o minacciati di rappresaglie. La modernità consiste nell'imparare a vivere insieme, ad accettarsi e a rispettare le convinzioni di tutti. Il fanatismo, invece, cancella questa nozione elementare di rispetto. Lo annulla e parla come se la propria verità fosse autentica e vera. Come diceva Joha, "la verità è tonda". Quindi, se l'islam è una religione che ha dato innumerevoli e importanti intellettuali al mondo, bisogna evitare che a causa di qualche esaltato questa immagine e questa bella tradizione sfumino e diventino negative al punto da produrre in Occidente la continua sovrapposizione fra islam e terrore.

Il Marocco è sempre stato il paese della moderazione. Bisogna che la affermi e che lo stato si adoperi perché ciò che è pubblico resti nel dominio pubblico e ciò che è privato resti nella sfera dell'intimità. Diversamente, daremo ai nostri figli delle cattive abitudini e li chiuderemo in un universo patologico e retrogrado, un mondo oscuro, confuso, in cui l'unica apertura è alla violenza.

Minareti, burqa, identità nazionale

La democrazia diretta come quella praticata nella Confederazione elvetica a volte può dare adito ad aberrazioni. È accaduto domenica 30 novembre a Ginevra, dove il referendum contro i minareti ha ottenuto più del 57 per cento di voti. Che cosa vuol dire? Che si accolgono volentieri i musulmani in territorio svizzero, purché si rendano invisibili. Devono diventare così discreti da scomparire dal paesaggio, accettando che non ci sia più alcun segno o simbolo della loro presenza.

Questo significa che l'islam continua a fare paura e che questa diffidenza, questa fobia, è basata sull'ignoranza. I manifesti diffusi dai sostenitori della campagna referendaria sono abbastanza eloquenti: su una bandiera svizzera, accanto a una donna in burqa, sono rappresentati minareti neri a forma di missili. Per quanto si sia detto e ripetuto che il burqa non ha nulla a che vedere con l'islam, che è un'usanza di origini afghane o pakistane, che non è mai menzionato nei suoi testi, si continua a fare confusione fra questo indumento e la religione islamica.

Il manifesto è al limite del razzismo: suggerisce idee e minacce che un buon cittadino ginevrino percepisce come un avvertimento. Quanto al voto, non risolverà nulla, al contrario non farà che accentuare i contrasti tra la comunità musulmana, diversa e simile a un tempo, e gli elvetici.

Sopprimere i minareti vuol dire attaccare un simbolo. Essi sono il segno di una presenza. Non hanno niente di aggressivo, né di politico. In ogni caso non intaccano affatto i "diritti fondamentali in Svizzera", secondo quanto afferma il partito della destra populista.

Come diceva una giovane musulmana alla televisione francese: ieri il velo, oggi il burqa e ora anche il minareto! È vero che il disagio esiste: anche l'islam pacifico, peraltro maggioritario, continua a dare fastidio. Meglio allora ritornare ai testi e non ascoltare i falsificatori, i provocatori che utilizzano il dogma per istigare all'odio tra i popoli.

Con questo attacco ai minareti, la Svizzera attacca il simbolo di una religione che vorrebbe far scomparire dal proprio territorio. Ma il referendum, lungi dal raggiungere il suo scopo, non fa che esacerbare gli animi, anche al di là dei confini elvetici. In Francia, il Front National ha applaudito l'esito del voto e si augura di poter esercitare un giorno questa forma di democrazia diretta e popolare per esprimere il rifiuto dell'islam in Francia.

È dello stesso tipo il dibattito italiano sul crocifisso nelle scuole: un simbolo che non fa male a nessuno, ma nel momento in cui lo si vuole caricare di altri messaggi tutto si complica e si politicizza. Idem per il dibattito francese sull'"identità nazionale", che arriverà anche in Italia. La questione dell'identità si impone nel momento in cui si avverte che il paesaggio umano di un dato paese sta cambiando colori e componenti. Tale cambiamento riguarda tutta l'Europa, perché l'immigrazione è ovunque, e i figli degli immigrati sono europei, talora musulmani, in altri casi animisti o senza religione. Questa realtà va accettata. Non serve a nulla organizzare votazioni per eliminarla dal paesaggio o correggerla. Evidentemente, la convivenza è qualcosa che si impara. E questo è possibile solo nel rispetto reciproco, che è anche rispetto delle leggi e del diritto. Infine, un ultimo punto: gli immigrati e i loro figli non se ne andranno. Fanno parte della storia europea. Sono persone che hanno bisogno della propria cultura, del proprio culto, come qualunque cittadino di origini europee.

Stranamente, la Svizzera è stata molto "comprensiva" con il figlio di Gheddafi, Hannibal, che era stato arrestato a Ginevra per aggressione e maltrattamenti dei suoi sottoposti. Lo ha liberato e ha negoziato con il padre per trovare un accordo. E succede lo stesso con altri musulmani che depositano miliardi nelle banche svizzere. La nazione li tratta con enorme attenzione e rispetto. Dimentica che sono portavoci di quello stesso islam che le fa così tanta paura.

L'Arabia Saudita nella trappola del fondamentalismo

Guardiana dei luoghi santi dell'islam, produttrice di petrolio, l'Arabia Saudita oggi deve lottare contro il terrorismo che l'ha colpita duramente più volte. Non era preparata ad affrontare, un giorno, questa forma di guerra cieca. Pensava di essere al riparo da questo flagello, di essere in modo definitivo e incontestabile *Dar al-Islam* (il "territorio dell'islam") in opposizione a *Dar al-Harb* (il "paese della guerra"); essa viveva, ripiegata su se stessa, coltivando le sue tradizioni e i suoi costumi, chiudendo il suo cuore e le sue porte alla modernità – quella che assicura la democrazia, il riconoscimento dell'individuo, lo stato di diritto. Tutto ciò non le impediva di dotarsi della tecnologia più avanzata, in particolare in materia di sicurezza. La sua ricchezza materiale, il suo ruolo di protettrice dell'islam, le sue importanti relazioni con gli Stati Uniti non l'hanno salvata dal terrorismo. Al contrario, esso l'ha assunta come proprio bersaglio simbolico. I musulmani le contestano la sua egemonia sui luoghi dell'islam e considerano gli attuali governanti dei miscredenti.

Il peggio è che non è e non potrà essere in grado di lottare efficacemente contro questo flagello che minaccia una parte del mondo. Semplicemente perché le sue strutture politiche e la sua organizzazione governativa non hanno i mezzi per resistere a tale minaccia. Mentalmente, psicologicamente, i dirigenti sauditi non sono in grado di affrontare questi tentativi di destabilizzazione. E questo per molte ragioni.

1. L'Arabia Saudita è un paese che appartiene a una famiglia, i Sa'ud, di cui lo stato porta il nome. Ma si può poi parlare, effettivamente, di uno stato nel senso moderno del termine? No. I dirigenti sauditi hanno i loro metodi di lavoro e di fare politica, che non hanno niente a che vedere con i sistemi noti nel mondo occidentale e anche nella maggior parte dei paesi arabi. A fare la parte dello stato, infatti, è un consiglio familiare. Il potere si trasmette di padre in figlio o, in mancanza, di fratello in fratello.

2. Del resto, non si deve dimenticare che i sauditi sono responsabili di ciò che capita loro. Hanno difeso e diffuso l'ideologia wahabita, una concezione dell'islam "puro e duro", che un teologo del XVIII secolo, Muhammad ibn 'Abd al-Wahhab, ha instaurato come fosse la linea da seguire per tutta la nazione musulmana. Il wahabismo è il padre del fondamentalismo islamico, quello che incita all'applicazione della *sharia* per gestire i problemi che pertengono

al livello giudiziario e che dà le regole per la vita morale e religiosa del musulmano (tagliare la mano al ladro, lapidare la donna adultera, praticare legalmente la poligamia e il ripudio). La condizione della donna in Arabia Saudita è la più arretrata del mondo musulmano. Essa non ha neanche il diritto di guidare la macchina. Per anni i sauditi, poiché non appartenevano al serraglio politico, hanno finanziato associazioni wahabite il cui scopo era propagare l'ideologia fondamentalista in paesi come l'Algeria, l'Egitto, il Sudan, lo Yemen ecc. I primi incidenti con l'integralismo musulmano si sono verificati in Algeria negli anni ottanta: alcune persone hanno distrutto dei marabutti (tombe di santi). Il wahabismo, infatti, vieta il culto dei santi credendo che tutta la santità sia simbolizzata dal profeta Maometto. Il governo saudita ha, nello stesso tempo, costruito e finanziato università wahabite a Gedda e Nouakchott in Mauritania. È lì che si sono formati i teologi incaricati in seguito di predicare le idee fondamentaliste nei paesi del Maghreb e del Medio Oriente.

3. La famiglia regnante, pur dando impulso ai suoi movimenti un po' ovunque nel mondo arabo, intrattiene buone relazioni con l'Occidente, in particolare con gli Stati Uniti, in cui deposita il suo denaro e da cui compra il suo arsenale militare. Del resto la famiglia Bin Laden, grande impresa di infrastrutture, ha fatto delle trattative molto interessanti con Bush padre e figlio. Il terrorismo a cui guarda oggi l'Arabia Saudita assomiglia a un regolamento di conti fra i membri di una grande famiglia. Osama Bin Laden, antico collaboratore della famiglia Bush, regola i suoi conti con l'America perché dei "contratti" (tenuti segreti) non sono stati rispettati. Non è un caso che la metà dei terroristi coinvolti negli attacchi dell'11 settembre siano sauditi. Come scrive la narratrice indiana Arundhati Roy: "Cos'è Osama

Bin Laden? È il segreto di famiglia dell'America. Il doppio oscuro del suo presidente. Il gemello selvaggio di chi si fregia di bellezza e civiltà. Bush e Bin Laden hanno fatto ricorso alla stessa terminologia. Ciascuno rappresenta 'la testa del serpente' agli occhi dell'altro. Nessuno rinuncia a invocare Dio".

Il terrorismo, dunque, è solo un sintomo, non la malattia. La malattia è il fondamentalismo religioso tale quale è stato diffuso dai sauditi e come è stato utilizzato dall'équipe fanatica intorno a Bush. L'Arabia Saudita raccoglie ciò che ha seminato. Dopo gli ultimi attentati, che hanno fatto ventidue morti, fra cui un tecnico americano, il Pentagono ha chiesto ai cittadini sauditi di lasciare il paese. Cosa diventerà l'Arabia Saudita se perde la mano d'opera qualificata straniera che le consente di produrre il suo unico capitale, il petrolio?

Foulard e Nobel

C'era una volta la famiglia Levy – il padre ebreo avvocato, ateo e militante antirazzista, la madre cabila di confessione cattolica, una nonna vissuta nella tradizione conservatrice ma tranquilla della religione ebraica e due figlie, Alma e Lila, convertite all'islam, fiere a tal punto da manifestarlo pubblicamente portando il velo a scuola. Pare si siano convertite da sole, come per magia.

La Francia è stata scossa da questa vicenda. Le due ragazze sono state, infatti, appena escluse definitivamente dal liceo. Il padre sporge denuncia. La polemica è su tutti i giornali. Ecco un caso particolare. Due ragazze, cresciute secondo principi di laicità e con i valori rispettosi della dignità umana moderni, trasformate dal foulard. Niente le predisponeva ad abbracciare l'islam e a praticarlo in modo così rigorista.

Va detto che il foulard o il velo non sono semplici pezzi di stoffa per coprirsi il capo e soprattutto i capelli. Sono segni politici, simboli ideologici. Anche se le due ragazze non ne sono coscienti, sono percepite come cittadine francesi che vogliono affermare un'appartenenza religiosa in uno spazio pubblico e laico. È qui che nasce il problema. La Francia si è battuta per decenni e per più generazioni per fare in modo che chiesa e stato fossero separati. La data del 9 dicembre 1905 è passata alla storia. È una vittoria dell'individuo in quanto entità unica e riconosciuta, una vittoria della democrazia e della libertà di credere e pensare. La fede religiosa deve restare una questione intima e privata. Non deve manifestarsi pubblicamente con rumore e furore.

L'attuale emergenza di manifestazioni ostentatorie, quali il velo in luoghi pubblici, vorrebbe rimettere in questione tale acquisizione fondamentale della repubblica francese. L'islam invita a indossare il velo quando si prega. È una questione di decenza e di rispetto della relazione fra l'essere umano e Dio. La prima moglie del profeta Maometto, Khadija, impegnata a dirigere un commercio di carovane, non portava il velo. Ciò che è richiesto alla donna musulmana è di non provocare gli istinti dell'uomo vestendosi in un modo che valorizzi troppo il corpo, raccomandazione che si trova anche nella religione ebraica e in quella cristiana.

Al comune di Parigi, un'assistente sociale si è velata e si rifiuta di stringere la mano agli uomini. Il sindaco ha dovuto sospenderla dal suo lavoro. La religione, intesa in questo modo piatto e semplicistico, si snatura.

Forse lo stato francese sarà obbligato a legiferare in questo campo proponendo al parlamento di votare una legge che vieti ogni segno religioso nei luoghi pubblici (scuole, uffici amministrativi, ospedali). Darà così ai musulmani un'occasione per dimostrare che l'islam è possibile anche in una società democratica moderna.

Questo fenomeno tocca tutta l'Europa. È inammissibile che la laicità sia rimessa in questione dai cittadini di questa nuova Europa che si vuole meticcia, multiculturale, aperta al mondo e soprattutto non fanatica né presa in ostaggio dall'integralismo religioso.

In ogni caso alcune novità ci confortano: l'attribuzione del premio Nobel per la pace a Shirin Ebadi, avvocato iraniana che pratica un islam normale, che non disturba nessuno. Complimenti all'Accademia per avere premiato questa militante che lotta in difesa dei diritti dell'uomo e della donna. Gli integralisti l'hanno già minacciata di "tagliarle la lingua". La barbarie non si ferma di fronte a niente.

La seconda buona notizia ci arriva dal Marocco. Il re Mohammed VI l'ha annunciato ufficialmente: la moglie non deve più obbedienza al marito; la famiglia sarà d'ora in poi sotto la responsabilità congiunta dei due sposi; l'età del matrimonio per le ragazze passerà dai 15 ai 18 anni; il ripudio e la poligamia saranno inquadrati in modo tale che in pratica dovranno sparire; il divorzio sarà giudiziario e non arbitrario, su decisione del marito. La società marocchina, infine, si libererà del suo vecchio codice sullo statuto della persona, che faceva della donna un essere inferiore, che doveva chiedere autorizzazione al padre o al fratello per sposarsi. Il Marocco assumerà, quindi, lo stesso sistema tunisino, il più avanzato di tutto il mondo arabo, lasciandosi alle spalle quello algerino, il più retrogrado. Ci saranno certamente delle resistenze da parte della società tradizionale e religiosa. Ma è un progresso importante per il processo di democratizzazione in corso in Marocco. Resterà da rivedere la questione dell'eredità, in cui la legge islamica continua a essere applicata: una donna ha diritto a una parte, il fratello a due parti. Questa legge risale all'epoca in cui le donne non lavoravano; oggi è anacronistico. Ma per toccare questo settore, ci vorrà tempo e molta audacia e coraggio. Quando si tratta di denaro, infatti, le persone si trasformano e molte perdono il lume della ragione!

Il cambiamento, comunque, è assicurato dalle donne. Tutto ciò che sta cambiando e cambierà nel mondo arabo e musulmano sarà grazie alle donne. In questo senso, la donna è davvero l'avvenire dell'uomo, l'avvenire dell'islam.

Il fanatismo

Il fanatismo ha bisogno di situazioni di tensione per svilupparsi. L'attuale guerra in Iraq costituisce un terreno eccezionale perché l'estremismo religioso prenda terreno nei paesi vicini. La natura di questa guerra, condotta nella più completa illegalità, senza la legittimazione del diritto e delle Nazioni Unite, fatta contro la volontà di molte nazioni e malgrado le numerose proteste della gente scesa in strada, amplifica il sentimento di ingiustizia provato dalle popolazioni arabe e musulmane. Così, in Egitto come in Giordania, nello Yemen come in Mauritania, in Pakistan come in Indonesia, i manifestanti che protestano contro l'intervento angloamericano ricordano la sorte della popolazione palestinese, fanno l'elogio dei movimenti islamisti che mandano kamikaze in Israele e martellano con slogan religiosi in cui tutto si confonde.

Il fatto che Saddam Hussein invii degli aiuti finanziari alle famiglie dei kamikaze palestinesi rafforza questa confusione e crea amalgami fra islam e integralismo, fra la causa palestinese e il terrorismo. Aumenta il distacco fra le culture e le civiltà e, se si va avanti così, Samuel Huntington, l'autore dello *Scontro delle civiltà e il nuovo ordine mondiale*, avrà ragione. Quel che succede attualmente in Iraq è la concretizzazione di questa rottura fra civiltà. Bush, presidente purtroppo eletto due volte e uomo incolto, ha seguito i consigli dei gruppi integralisti protestanti che lo hanno convinto che lui è il simbolo del Bene e che la sua missione è andare a combattere, come nelle crociate, il Male. Questa visione delle cose richiama in modo simmetrico il discorso degli integralisti che si rifanno all'islam e che vedono nell'Occidente la rappresentazione del Male e di Satana.

In tempo di guerra, sono le emozioni a guidare le menti. Il mondo arabo, peraltro, è abituato a privilegiare l'emozione, l'affettività, la collera rispetto alla ragione, alla logica e alla diplomazia. Le persone avvertono un radicato sentimento di appartenenza a una nazione molto forte e reagiscono di pancia, anche se gli stati arabi sono divisi. Coloro che manifestano, che sostengono il popolo iracheno, non applaudono Saddam.

In questo momento si confrontano degli schematismi, cioè degli estremismi. I dirigenti arabi, alcuni dei quali sono compromessi dalle loro strette relazioni con l'America (i paesi del Golfo), non sanno come calmare la collera dei loro popoli. Il presidente egiziano Mubarak, per esempio, è in una posizione difficile: l'Egitto riceve dall'America un aiuto finanziario annuale di circa 2 miliardi di dollari più un aiuto militare; non può condannare la politica bellica di Bush così come non può appoggiare direttamente Saddam. Allo stesso tempo, la popolazione si sente solidale con il popolo iracheno e manifesta la sua collera nelle strade. Ne approfitta per criticare Mubarak e si lascia travolgere dal sentimento religioso. Gli integralisti (soprattutto i Fratelli musulmani) investono in queste manifestazioni per proprio conto e diffondono così i loro messaggi. Lo stesso avviene in Giordania. Ciò che rischia di succedere, se la guerra prosegue e soprattutto se aumenta la sua ferocia, è che i regimi arabi non potranno più controllare i loro manifestanti spontanei. Sono da prevedere rivolgimenti politici. Nel frattempo, l'Iran osserva e aspetta il suo momento. Ha tutto l'interesse a veder trionfare degli islamisti nei paesi vicini.

Ecco perché questa guerra ingiusta avrà conseguenze drammatiche sul lungo periodo in tutti i paesi. Quale che sia il risultato di questa guerra, l'America non ne uscirà ingrandita. Quanto agli integralismi e al terrorismo, essi si sviluppano con l'idea di riparare delle ingiustizie e per rispondere a un'America che ha voluto vendicarsi con un popolo già massacrato dal suo dittatore, Saddam Hussein.

Tutto ciò annuncia il caos e noi siamo nauseati davanti a tutto questo fanatismo e alla confusione fra islam e integralismo.

Laicità

Se la parola "laico" significa anzitutto "ciò che è comune, ciò che è del popolo", col tempo e le guerre il suo senso è diventato più preciso, più ristretto: è laico tutto ciò che è indipendente da qualunque credenza religiosa. Credenze, convinzioni, pratiche, appartenenze hanno a che fare con la fede più che con la ragione.

Il 9 dicembre 1905, il parlamento francese ha votato una legge che separa la chiesa dallo stato. È stata una rivoluzione, e la data è passata alla storia. Ci sono voluti molti confronti, molte discussioni per arrivare a questa tappa. Questa vittoria della libertà dell'individuo è stata resa possibile dal secolo dei Lumi. Senza il XVIII secolo, senza le sue audacie, senza grandi pensatori e filosofi, infatti, mai la Francia avrebbe potuto imporre la separazione tra sfera religiosa e sfera politica. Da allora, la laicità si confonde con la repubblica. Essa non è il rifiuto della religione, ma la garanzia dell'esercizio di ogni religione nel mutuo rispetto e soprattutto nel rispetto della vita civile e politica. All'inizio non è stato facile. C'è stato bisogno che l'esercito entrasse nelle scuole per strappare dalle pareti i crocifissi. La chiesa pensava di aver perso un grande strumento di influenza e così ha subito costruito delle scuole private in cui si insegna tanto il catechismo quanto le scienze.

La Spagna è diventata laica mentre diventava democratica. Ai tempi del franchismo, la chiesa cattolica costituiva un pilastro importante dell'ideologia e della politica di questa dittatura. La religione entrava in ogni cosa, interveniva per censurare le opere d'arte, gli scritti e anche le opinioni. Questo controllo della religione sul paese ha contribuito al suo isolamento in Europa e al suo sottosviluppo economico e culturale.

La scuola è il luogo primordiale da cui parte la laicità. Si parla di scuola pubblica in opposizione alla scuola privata. La laicità, infatti, non vieta l'esistenza di scuole confessionali. I due tipi di scuola esistono in regime di indipendenza e libertà.

Oggi si torna a parlare di laicità, in Francia come in Spagna e in Italia, a causa di un pezzo di stoffa che delle ragazze musulmane mettono sul capo per coprire i loro capelli. Lo si chiama foulard, oppure si parla di velo, anche se evidentemente non è la stessa cosa.

Il problema è nato una mattina dell'inverno 1989. Delle ragazze sono arrivate in un istituto della provincia francese con la testa coperta dal foulard. È stato chiamato "foulard islamico". Quando è stato chiesto loro di toglierlo, si sono rifiutate in nome della libertà. La cosa ha poi preso delle proporzioni nazionali, al punto che è stato necessario che il re del Marocco Hassan II intervenisse personalmente sui genitori di queste ragazze perché rinunciassero ad andare a scuola così coperte. Ma il dibattito è continuato. Sempre più ragazze hanno iniziato a mettere il foulard per affermare la propria identità. Il problema si è posto anche in altri paesi europei. L'islam è diventato oggetto di discussione e critica. Contemporaneamente, però, l'Europa ha scoperto che l'islam fa parte del suo destino. Questa rivelazione è vissuta da alcuni come una violenza, una minaccia alle loro tradizioni, alla laicità.

Il 14 giugno 2009, durante un dibattito in senato, Philippe Sollers ha chiesto "se la laicità sia desiderabile, se il velo non nasconda la foresta". La foresta è il ripiegamento su se stessi, significa fare dell'islam una identità o una cittadinanza, in nome della *umma* islamica, casa della fede in cui si ritrovano e si riconoscono i credenti che fanno fatica a integrarsi. A quanto pare i giovani musulmani che si velano o portano il foulard vogliono solo praticare il loro credo in una Francia aperta e tollerante. Ma questa stessa Francia teme per l'avvenire della sua laicità. L'islam, così come si manifesta sulla scena politica, fa paura. In effetti, il foulard è un simbolo politico e ideologico che ci dice che l'integrazione dei figli degli immigrati non è riuscita. La laicità funziona solo se ha dei riferimenti di giustizia e uguaglianza validi per tutti. La Francia ha delle zone marginalizzate che favoriscono la regressione e l'islamismo. Ma se si decide di passare la propria vita in Francia, quali che siano le proprie convinzioni religiose, si deve scegliere di integrarsi rispettando le leggi di questo paese senza rinunciare alle proprie tradizioni. Se si rifiutano tali leggi, se si vuole forzare la legislazione, ci si rifiuta di integrarsi o si assume un'idea molto particolare di integrazione. Se si rifiuta l'integrazione, si devono iscrivere le proprie figlie in scuole private, scuole musulmane, o avere il coraggio di tornare nel proprio paese di origine e vivere secondo le proprie credenze. Dietro il simbolo del foulard, si nasconde in verità un'altra concezione della vita e delle relazioni fra uomo e donna.

La condizione femminile è sempre più deplorevole nella maggior parte dei paesi musulmani. Il padre (o il fratello) inizia col far velare la propria figlia (o sorella), poi le chiede di non partecipare alle lezioni di ginnastica perché altrimenti il suo corpo sarebbe visibile, poi di non frequentare i corsi di scienze e di biologia perché vi si parlerebbe dell'origine dell'uomo, poi di rifiutarsi di imparare la musica, il disegno ecc. In seguito, non frequenterà le piscine miste, e si rifiuterà di farsi auscultare da un medico uomo. Tale intrusione della religione nella vita privata non è ammissibile in un paese come la Francia, che ha tanto lottato per il rispetto dell'individuo e della sua libertà, che ha condotto battaglie memorabili per i diritti della donna.

L'islam, come ogni religione monoteista, rifiuta la laicità. Questa parola non esiste neanche nel suo vocabolario. Esistono il credente e il non credente, l'infedele, l'uomo posseduto da Satana, l'ateo, il traditore della sua comunità, della *umma*. E tuttavia, è necessario che i musulmani che vivono in Europa escano da queste dicotomie sapendo che i loro figli, che hanno una carta di identità europea, passeranno la loro vita in questa parte del mondo. Questa è la scelta: o si accetta l'Europa o la si rifiuta, non la si deve minare dall'interno e riportarla al XIX secolo.

Le difficoltà di questo momento non impediranno comunque all'islam di trovare il suo posto nei paesi europei.

L'Europa costituisce anche una chance, perché riuscendo a stabilirsi nel suo territorio e rispettandone le leggi l'islam può mostrare che è possibile, che può anche essere fiorente in una società democratica in cui il primato è dato all'individuo, all'uguaglianza fra uomo e donna, al rispetto delle altre religioni e anche al rispetto di coloro che non credono. Non si potrà più rimproverare all'islam di essere incompatibile con la democrazia come si verifica, ahimè, ogni giorno nei paesi del Golfo e in qualche altro paese arabo.

La battaglia per la laicità è il primo passo verso un'integrazione senza ambiguità. Ma come scrive Maurice Blanchot: "La risposta non esaurisce la questione".

Essere musulmano in Europa

Due persone hanno deviato l'islam dal suo senso e dai suoi valori fondamentali, hanno fatto un male incommensurabile ai musulmani che vivevano in pace e si ritrovano oggi coinvolti nel terrorismo: l'ayatollah Khomeini e Osama Bin Laden.

Il 1978 è stato un anno decisivo per coloro che volevano mescolare la religione alla politica. L'ayatollah Khomeini era convinto che non c'è esercizio del potere al di fuori della pratica dell'islam, l'islam sciita ovviamente. L'ha detto e ripetuto, ma all'epoca tutti facevano confusione fra l'abbattimento del regime filo-occidentale e feudale dello scià di Persia e la rivoluzione che doveva liberare il popolo. Anche un filosofo serio e brillante come Michel Foucault si era sbagliato e si era appassionato a questo vecchio dal carisma straordinario. Anche Jean Genet era stato colpito da Khomeini, capace di scacciare dall'Iran un uomo che tutto l'Occidente appoggiava. Per questi due grandi intellettuali, la rivoluzione era ancora possibile; si preparava in un paese che godeva di una cultura magnifica. Nessuno aveva intravisto l'oscurantismo e l'arretramento contenuti nei discorsi di questo capo religioso e soprattutto nei suoi atti. Nessuno poteva prevedere allora ciò che sarebbe successo non solo in Iran ma anche in gran parte del mondo musulmano.

Fino a quell'anno si era parlato di islam solo in rare occasioni. Gli immigrati di religione musulmana vivevano in pace in un'Europa che non faceva alcuna attenzione alla loro presenza.

L'immigrazione non costituiva un problema sociale e interessava soltanto gli specialisti del fenomeno migratorio. La guerra civile libanese, la visita del presidente egiziano Anwar Sadat in Israele seguita dalla firma della pace fra i due paesi, la guerra fra l'Iraq e l'Iran (la cui completa responsabilità riposa sulle spalle di Saddam) e la crisi algerina faranno dell'islam una ideologia politica presente nella vita quotidiana dei cittadini. I Fratelli musulmani prenderanno le armi e riusciranno ad assassinare Sadat; alcune milizie libanesi si uniranno al movimento della jihad islamica sotto l'influenza dell'Iran; nel nome dell'islam alcuni algerini prenderanno le armi; dei palestinesi in disaccordo con Al-Fatah, il movimento di Arafat, creeranno Hamas, il movimento di resistenza islamica. L'islam a questo punto appare armato, violento, fanatico e sfigurato. L'immagine di una religione pacifica e quella del terrorismo che sequestra, decapita e uccide innocenti andranno così a sovrapporsi, facendo un torto immenso a milioni di immigrati che vivono sul suolo europeo. La loro vita a questo punto diventa difficile. Che lo vogliano o no, sono percepiti come dei musulmani che possono minacciare la pace della popolazione europea. Secondo un detto marocchino, "basta un solo pesce marcio per rovinare un'intera cassa di pesci". L'immigrato viene additato dal giorno in cui uno dei suoi compatrioti risulta implicato in un episodio di terrorismo. È sufficiente un reato commesso da un musulmano, soprattutto se fatto in nome dell'islam, perché tutti i musulmani vengano considerati potenziali terroristi. Questa visione è caricaturale ma è frequente. Il sospetto è nell'aria. Le persone non si fidano e coltivano i loro pregiudizi.

L'11 settembre 2001 il mondo arabo e musulmano non ha applaudito né ha fatto festa, anche se certi imbecilli, comunque rari, hanno osato rallegrarsi di questa catastrofe. Il mondo arabo ha dovuto piangere perché sapeva che a pagare il conto, il pesante conto di questo orribile attentato, sarebbe stato lui. L'arabo è diventato sospetto ed è stato sottoposto a perquisizioni umilianti alle frontiere della maggior parte dei paesi. La sua immagine è stata sporcata. La sua parola non è più stata ascoltata. La sua immagine veniva ridotta a quella di un terrorista o di un candidato a un attentato suicida.

La guerra in Iraq – un errore e una catastrofe storica – ha permesso al terrorismo di svilupparsi. Era prevedibile. Il mondo intero aveva avvisato Bush, ma questo presidente bellicoso ha ascoltato solo il suo gruppo di fondamentalisti e ha invaso l'Iraq.

Questo ci riporta alla vita quotidiana degli immigrati in Europa. È attraverso i loro figli, arrivati molto piccoli in Europa o nati in territorio europeo, che la questione dell'islam verrà posta: quale cultura trasmettere a questi bambini? L'islam è più di una religione monoteista, è anche una morale e una cultura. L'islam entra nei gesti e nei comportamenti del credente. Pur essendo una religione con un alto livello di spiritualità (il sufismo, mistico, ha prodotto alcune delle più belle poesie della letteratura mondiale), l'islam è una religione temporale; ti dice come vivere, come intendere le regole di comportamento, come rispettare i valori che esso propugna. Poiché il profeta Maometto aveva dovuto lottare, armi alla mano, contro i suoi avversari, egli è stato via via percepito, lungo la storia, come un capo di stato, un leader, un conquistatore la cui missione era diffondere la nuova parola di Dio, far entrare nell'islam coloro che si accontentavano di adorare delle statue e delle pietre. È questa l'eredità che gli immigrati cercano di far passare alla loro progenie.

E fin qui, le cose sono semplici.

Ma a partire dal momento in cui il processo di integrazione è in panne, considerando che la Francia non ha una politica dell'immigrazione, i figli di questi immigrati si ritrovano abbandonati a se stessi o a coloro che cercano di indottrinarli, i quali tentano di dare loro un'identità, un orgoglio, quello di essere musulmani, non alla maniera tranquilla dei loro genitori, ma alla maniera offensiva degli islamisti che portano l'islam a solidarizzare con tutti coloro che soffrono l'occupazione (i palestinesi) o la repressione (i ceceni, gli afghani ecc.).

Il nemico è designato: è l'Occidente, in particolare gli americani, i quali sostengono contro ogni criterio di giustizia la politica omicida del governo israeliano e di Ariel Sharon. Ecco come i conflitti palestinesi e iracheni sono stati introdotti sulla scena europea. Una visione schematica, brutale, che però ha il vantaggio di convincere i giovani, figli di immigrati e che vivono frustrazioni intollerabili. Non si tratta di tutti i giovani, basta che i reclutatori riescano a convincere uno o due ragazzi per quartiere per formare un piccolo esercito nell'ombra. In virtù della loro identità europea, questi ragazzi circolano con passaporti europei e passano le frontiere più facilmente dei militanti del mondo arabo che hanno bisogno di un visto. È così che Al-Qaeda è riuscita ad assoldare giovani francomaghrebini in avventure di terrorismo internazionale.

I genitori sono i primi a denunciare e a rattristarsi per questa situazione. La sovrapposizione fra immigrato e terrorista è presto fatta. Non c'è tempo per spiegare che questo non è l'islam, che quel che fanno questi ragazzi è contrario ai principi elementari di questa religione, che le ripercussioni di questo terrorismo e di questa barbarie saranno nefaste e crudeli per gli immigrati che lavorano duramente per assicurare un avvenire alla loro famiglia.

Di chi è l'errore? Dove sta la responsabilità iniziale di questo pasticcio?

Per restare al caso francese, è evidente che tutti i governi che si sono succeduti dal maggio 1981 si sono dimenticati di occuparsi di questa generazione nata in Francia. Sono stati dati vari allarmi. Molti studi hanno dimostrato che, se la Francia non avesse risolto i problemi di questa generazione subito, avrebbe incontrato molti e più seri problemi in seguito.

Contrariamente alla Gran Bretagna e alla Germania, la Francia è un paese a vocazione integrazionista. Considerando la sua storia coloniale, considerando la condivisione di una memoria francomaghrebina, la Francia non poteva non integrare i figli di milioni di immigrati che essa aveva fatto arrivare. Gli inglesi e i tedeschi sono differenzialisti, cioè rispettano la cultura dell'immigrato, lo aiutano affinché la sviluppi e non lo invitano a uniformarsi alla popolazione di origine britannica o tedesca. Ciascuno ha diritto alla sua differenza, alla sua cultura, niente mescolanze. È per questo che non si ha un problema del velo in questi due paesi. Poiché la Francia vuole creare nuovi piccoli francesi, si sente obbligata a far rispettare loro le leggi della repubblica, il cui fondamento è la laicità. È qui il problema: voi siete francesi, dunque dovete seguire le tradizioni di questo paese. L'islam, che è la seconda religione in Francia, potrebbe integrarsi nel tessuto sociale francese a condizione di non interferire con le leggi francesi, leggi che il parlamento ha votato e che ogni cittadino ha il dovere di rispettare.

Solo dopo lunghe battaglie la Francia è riuscita a separare chiesa e stato, nel 1905. Questa legge sulla laicità è stata il fondamento della vita pubblica e della democrazia. Non c'è possibilità di abbandonarla sotto la spinta di islamisti che vogliono imporre la loro visione del mondo a società che hanno fatto altre scelte di vita, in particolare per ciò che riguarda la condizione della donna. È questo il nodo del conflitto tra islamisti ed europei: gli islamisti non tollerano le libertà di cui gode la donna occidentale; hanno paura che le loro figlie, mogli o sorelle siano "contaminate" da queste libertà. Di qui, l'imposizione del velo. Ciò si traduce in: non vogliamo il vostro stile di vita; abbiamo le nostre tradizioni e in nome della libertà pretendiamo di poterle seguire! Di fatto, c'è un grande malinteso: la laicità non vieta le religioni, essa le rispetta e le protegge, nello stesso tempo permette all'ateismo di esistere; dà a ciascuno la libertà di credere o di non credere; in breve, responsabilizza l'individuo. Le due visioni della vita, dunque, sono distanti e non c'è alcuna possibilità di trovare un accordo. È per questo che la battaglia attuale in Europa deve essere condotta in più campi:

– stabilire una politica di integrazione seria e generosa;

– spiegare meglio cosa rappresenta per uno stato come la Francia la laicità;

– coinvolgere sempre di più gli immigrati e i loro figli in progetti sociali.

Fino a quando i ragazzi non hanno un lavoro, vagano per le periferie, diventano dei delinquenti, e finché saranno disoccupati saranno disponibili a qualsiasi avventura. Tutto è possibile. Possono diventare dei cittadini responsabili e volenterosi o possono essere attratti da ciarlatani che parlano loro di un islam vendicativo, un islam "che li salverà"!

Ahlan wa Sahlan! (Benvenuto!)

Nei confronti del papa, i musulmani sono discreti. Rispetto e distanza. Non che pensino male del capo della chiesa cattolica, ma il sistema che prevede di essere diretti da un capo eletto non gli appartiene. L'islam sunnita, che è quello di più del 90 per cento dei musulmani, non contempla gerarchie. Dopo la morte del profeta, nessuno ebbe il diritto di prendere il suo posto. Allah aveva ben chiarito che era l'ultimo dei profeti mandati agli uomini. Tutti coloro che, venuti dopo di lui, avessero preteso di essere sulla terra per una missione dettata da Dio sarebbero stati degli usurpatori. Il credente non ha bisogno di un intermediario tra lui e Allah. I musulmani non capiscono, per esempio, la confessione che i cattolici praticano con un essere umano. Questa attitudine li lascia stupefatti. La spiritualità non passa per un rappresentante di Dio in terra. Il credente è responsabile direttamente di fronte a Dio. Il Giorno del giudizio, potrebbe chiedere al profeta di intercedere fra lui e Allah. È per questo che i musulmani, pur rispettando la funzione e il ruolo del papa, non se ne preoccupano. Ma poiché Giovanni Paolo II ha cambiato il modo di governare il Vaticano, inevitabilmente i musulmani hanno seguito come gli altri con interesse gli ultimi giorni di questo papa.

Quindi cosa si aspettano i musulmani dal nuovo papa?

Non so, ma ho immaginato ciò che un musulmano fondamentalmente potrebbe aspettarsi dal successore di Giovanni Paolo II:

– che prosegua e approfondisca la politica di dialogo e di avvicinamento fra la cristianità e l'islam, che continua a progredire, anche se è macchiata dal fanatismo e dall'oscurantismo. Attraverso il suo interesse per l'islam, il papa potrebbe aiutare i musulmani tolleranti e moderati a lottare più efficacemente contro le pericolose derive che alcuni producono di questa religione. Se il papa guarderà l'islam con benevolenza, molti pregiudizi e stereotipi negativi saranno abbattuti;

– che sia più aperto ai paesi del Sud, che si interessi alle minoranze cristiane che vivono nel mondo arabo (i copti in Egitto, i maroniti in Libano ecc.);

– che si impegni in modo più attivo nel processo di pace fra palestinesi e israeliani. Che decida che il suo primo viaggio all'estero sia in Palestina e Israele. Sarà un gesto simbolico forte e un incoraggiamento per tutti i cittadini desiderosi di vivere nella pace in questa regione straziata da tanti anni di conflitti, paure e incomprensioni. La pace si fa anche con gesti simbolici. Dovrebbe andare dagli uni e dagli altri – israeliani e palestinesi –; dovrebbe parlare loro e aiutarli a liberarsi dell'odio e del sospetto reciproco. Dovrebbe usare le parole giuste per convincerli a imparare a vivere insieme;

– che denunci il fanatismo religioso ovunque esso imperversi e da ovunque provenga. Le terre islamiche conoscono una crescita di tensione in cui la religione è piegata a obiettivi ideologici e omicidi. Altrove, altri sostenitori della guerra invocano la benedizione della chiesa. Che il papa, dunque, ricordi a Bush e ai suoi sostenitori che non si fa una guerra in nome della religione, anche se si prega prima di ogni riunione politica;

– che faccia attenzione alle derive razziste di cui sono vittime gli arabi (musulmani), sospettati facilmente di essere portatori di bombe, persone che subiscono gli effetti spesso tragici della sovrapposizione islam-terrorismo;

– che si impegni in modo più diretto nel dialogo fra culture per mostrare al signor Huntington che non esiste lo "scontro delle civiltà" (intendendo con questo lo "scontro fra islam e Occidente cristiano"), ma solo uno scontro di ignoranze;

– che impari la lingua araba, la lingua del Corano. Forse è chiedergli troppo, ma sarebbe un segnale di immensa solidarietà rivolto a centinaia di milioni di arabi;

– che vada in Egitto, culla di tutte le grandi culture, in Marocco, luogo di incontro fra l'Oriente e l'Occidente (Giovanni Paolo II si era rivolto alla gioventù marocchina nello stadio di Casablanca e l'effetto era stato notevole);

– che faccia insegnare, o chieda ai responsabili dell'istruzione nei paesi occidentali di insegnare, la storia dell'islam e le origini della cultura araba;

– che organizzi convegni, seminari, dibattiti fra teologi, storici, filosofi del mondo cristiano e del mondo musulmano;

– che consideri di nuovo il dialogo il modo più acuto per conoscersi meglio e per operare in direzione della concordia e della pace.

Da parte loro, i musulmani dovrebbero fare le stesse mosse per conoscere meglio il mondo cristiano e imparare a vivere con esso.

Sono dei desideri, dei pii desideri, come si usa dire.

Oriente-Occidente, lo scontro delle ignoranze

Inizierò da un episodio che mi viene in mente quando si parla di questa opposizione fra Oriente e Occidente, soprattutto dopo l'11 settembre 2001.

Lo scorso mese di marzo, sono stato invitato dalla Princeton University, negli Stati Uniti, a tenere un ciclo di conferenze. Prendo l'aereo a Parigi, ben sapendo che la compagnia aerea deve trasmettere la lista dei passeggeri che si apprestano a entrare in territorio americano. Compilo perciò, come tutti, il formulario che ci distribuiscono e che poi si presenta alla polizia di frontiera. Ho un passaporto francese. Lo mostro. Appena vede un nome arabo, l'agente digita per cinque minuti al suo computer, poi passa i miei documenti a un altro agente e mi chiede di seguirlo nel suo ufficio in fondo all'aeroporto. Mi portano in una sala dove ci sono altri arabi. Angosciato, non dico niente. Aspetto. Capisco: sono sospetto. Di cosa? Cosa ho fatto? Inizio a chiedermi cosa avrei potuto fare. Mi dico: forse ho commesso un reato e la mia memoria l'ha cancellato. Aspetto. Penso a K., il personaggio del *Processo* di Kafka. Certe volte basta niente per cadere nell'assurdo. Niente di leggibile sul viso dell'agente responsabile del mio dossier. Lo guardo e poi abbasso lo sguardo. Inizio ad avere paura. Mi dico: e se mi confonde con un altro che ha il mio stesso nome, un ricercato? Il tempo di verificare, e mi ritroverò a Guantanamo. La tensione sale. Aspetto, ma non oso chiedere cosa succede. Mi avevano detto che non bisogna mai protestare in questi casi.

Dopo quaranta minuti, l'agente mi chiama e mi pone una serie di domande. Il mio inglese è stentato. Rispondo in francese, e poi in un inglese approssimativo. Mi fa delle domande tranello: chi è Amine? È mio figlio. Qual è la sua data di nascita? Su questo ho un vuoto, l'ho dimenticata. Confondo le date di nascita dei miei figli. Gli mostro l'invito della Princeton University. La cosa però non lo intimidisce affatto. Continua a digitare sulla tastiera del suo computer. Allora mi sono ricordato di un articolo scritto sulla guerra in Iraq in cui auspico che Bush sia giudicato dal tribunale internazionale per aver ucciso degli innocenti in Iraq. Mi dico: è per questo che mi stanno trattenendo. Dopo un momento di silenzio in cui l'agente parla con un altro agente, mi restituisce il passaporto. Esco da questo ufficio e vado a recuperare la mia valigia, sola ormai sul nastro dei bagagli. Gli altri passeggeri, europei, non hanno subito questo interrogatorio.

Ecco, è questo ciò che temono gli arabi che vogliono viaggiare. Seppure innocenti, sentono che portano sul viso qualcosa che li rende sospetti. È la nostra parte di Oriente, in quest'epoca di confusione, sovrapposizioni e grande violenza.

Dopo questa introduzione, vediamo cosa succede fra queste due entità fluide, l'Oriente e l'Occidente.

Fra Oriente e Occidente esistono talmente tanti malintesi che è necessario innanzi tutto smontare questi pregiudizi, cliché, idee precostituite, idee generiche, e precisare i termini e gli oggetti della questione.

Di cosa si parla quando si evocano questi due poli? Se l'Occidente è facilmente collocabile, l'Oriente è un mosaico di paesi e di popoli situati in parte in Asia, in parte nel Vicino Oriente o nel Maghreb. La parola araba *Maghreb* vuol dire "calante", cioè "occidente". Quindi si mettono nella stessa categoria tanto il *Machrek* (la direzione in cui si leva il sole) quanto il *Maghreb* (la direzione in cui cala).

Atteniamoci alla sfera del mondo arabo che ingloba i cinque paesi del Maghreb e gli altri diciassette paesi arabi. Li mettiamo insieme perché, almeno teoricamente, condividono lingua e religione. Guardando però le cose da vicino, ci si rende conto che la lingua araba comune è una lingua classica, letteraria, che parlano solo le élite, è la lingua dei libri e della storia, mentre i popoli parlano dialetti derivati da questa lingua. Se un intellettuale egiziano e uno marocchino comunicheranno senza problemi parlando la lingua del Corano, due contadini o operai di paesi arabi diversi faranno invece molta fatica a capirsi. Riusciranno a dirsi giusto qualche parola che non sia distante dalla lingua classica. Questa è la ragione per cui la forma romanza è apparsa molto tardi nei paesi arabi. Il primo romanzo arabo si intitola *Zaynab* ed è stato pubblicato come feuilleton, a puntate, su un giornale egiziano nel 1914. L'autore, Muhammad Husayn Haykal, influenzato da Flaubert, lo ha sottotitolato *Cronaca di una donna di campagna*, sapendo che all'epoca il romanzo era percepito come una forma immorale. L'autore è stato accusato di eresia e tradimento. Questa comparsa tardiva del romanzo va ricondotta a due ragioni: la prima è il non riconoscimento dell'individuo nella società araba, in cui invece sono privilegiati il clan e la famiglia; la seconda è che all'epoca non era né realista né plausibile far dialogare due persone del popolo in arabo classico. Né si osava ricorrere al dialetto, per non escludere subito altri potenziali lettori del mondo arabo. Un'eccezione, tuttavia, fu rappresentata nel 1903 da Hussein Faouzi, un medico oceanologo egiziano che pubblicò, nell'arabo parlato in Egitto, il suo racconto di un giro del mondo intorno all'equatore in veliero.

Il secondo punto in comune fra i paesi arabi è l'islam; tuttavia più del 10 per cento dei musulmani arabi è sciita, mentre gli altri sono sunniti. C'è poi una minoranza di cristiani in Egitto, Libano, Siria, Sudan e Iraq. Solo il Maghreb ha resistito a ogni tentativo di cristianizzazione.

Il mondo arabo, insomma, non è un'entità omogenea, forte e armoniosa. Come diceva l'orientalista Jacques Berque, "il mondo arabo è simile e diverso". Il Maghreb non era né arabo né musulmano prima del IX secolo. I suoi abitanti erano berberi. Verranno islamizzati ma manterranno le loro lingue e le loro tradizioni. Per molto tempo l'islam ha costituito un cemento culturale fra questi paesi. Nel 1932, la colonizzazione francese cercò di dividere i marocchini arabi dai berberi, volendo istituire una legislazione diversa. Tutti i marocchini rifiutarono questo progetto e manifestarono la loro ostilità urlando "siamo tutti marocchini e siamo tutti musulmani". Fu il *dahir* ("decreto") berbero che la Francia ritirò.

Con la rivoluzione iraniana del 1978 e anche con la comparsa del movimento dei Fratelli musulmani in Egitto all'inizio del 1930, l'islam è diventato un'ideologia politica. È questo cambiamento che ha provocato preoccupazioni nei paesi europei e poi negli Stati Uniti.

Il movimento dei Fratelli musulmani è comparso nel 1928 in Egitto. Opponeva l'identità e la cultura musulmane alla colonizzazione e anche al nazionalismo laico dei giovani patrioti egiziani.

Per capire la situazione attuale di "rifiuto dell'Occidente" bisogna risalire alle origini delle umiliazioni e frustrazioni subite dai popoli arabi. L'Occidente ha con questo Oriente così vicino e così lontano delle relazioni contrastate da secoli. L'occupazione coloniale, seguita dalla sottrazione ai palestinesi delle loro terre nel 1948, resta una ferita ancora aperta nella memoria del mondo arabo, un mondo diretto spesso da uomini non eletti democraticamente e che seguono una politica che soddisfa gli interessi di questo Occidente che li ha aiutati e sostenuti. L'esempio più evidente è quello di Saddam Hussein. Senza l'appoggio degli europei e degli americani, non avrebbe fatto guerra all'Iran. Senza le armi vendute dalla Francia e dalla Germania, tra l'altro, non avrebbe potuto esercitare una dittatura sanguinaria sul suo popolo. I suoi "amici" europei hanno chiuso gli occhi il giorno in cui ha soffocato col gas il villaggio curdo di Halabja; gli sventurati curdi sono morti nel sonno con il gas comprato dai tedeschi e diffuso da aerei francesi.

Poiché l'Iraq è un immenso giacimento di petrolio, la morale politica non ha avuto diritto di parola su ciò che faceva Saddam. Gli interessi hanno da sempre avuto il primato sui valori umanisti. Questo i popoli arabi, coloro che hanno sofferto per queste dittature, coloro che soffrono ancora, non possono dimenticarlo.

Lo sguardo che il mondo arabo posa sull'Occidente, a sua volta diverso e simile, è uno sguardo di rimprovero, di insoddisfazione, di attrazione ambigua e di rifiuto. Le élite sono deluse. Quante volte le abbiamo sentite rimproverare alla Francia, "paese dei diritti dell'uomo", di aver privilegiato la ragion di stato anziché i diritti dell'uomo nella sua politica esterna.

A partire da questa constatazione, e più in particolare a partire dalle guerre arabo-israeliane del 1967, 1973, 1982 e dai diversi scontri ad armi impari fra popolazione palestinese ed esercito israeliano, la separazione tra Oriente e Occidente (percepito come l'amico e il protettore dello Stato d'Israele) è diventata sempre più profonda. Le mentalità hanno spesso delle visioni binarie e manichee. Non hanno bisogno delle sottigliezze delle analisi geopolitiche.

Ritroviamo così questa visione ampiamente diffusa nei nuovi media satellitari arabi, seguiti da un vasto pubblico. Il ruolo giocato da un canale, tecnicamente ben fatto, come Al Jazeera, che trasmette da Doha, capitale del Qatar, è immenso nella costituzione e nella formazione di queste mentalità: esso mostra ai musulmani, in diretta, come i loro fratelli palestinesi o iracheni sono vittime della barbarie dell'occupazione. Le telecamere occidentali talvolta sono pudiche, non mandano in onda immagini orribili. Le telecamere di questa rete, invece, sono senza pietà, fanno vedere l'intollerabile: dibattiti in cui l'aggressività è la norma, testimoni interrogati con un'efficacia criticabile, immagini choc ripetute più volte. Al Jazeera è stato il primo canale a stravolgere il sistema della comunicazione e dell'informazione del mondo arabo. Da allora, decine di canali la imitano e le fanno concorrenza. Gli americani hanno sentito il bisogno di creare la loro personale Al Jazeera, chiamandola Al Horra ("la libera"), seguendo le stesse tecniche di rapidità dell'informazione ma facendo sentire la loro campana, la loro versione della guerra in Iraq.

È in questa confusione mediatica e in queste ferite storiche che il terrorismo trova le sue basi. I suoi obiettivi profondi sono sconosciuti, ma i suoi fini politici sono chiari: destabilizzare i paesi arabi che sono sulla strada della democrazia e che hanno relazioni con l'Occidente, relazioni economiche, politiche e di protezione. Dopo l'invasione del Kuwait da parte di Saddam, i paesi del Golfo hanno bisogno della protezione militare americana. Hanno dovuto allearsi a questa grande potenza per ragioni di sopravvivenza.

L'altro fine del terrorismo è seminare il terrore nei paesi occidentali, affinché cambino la loro politica nel mondo arabo. Ma dietro a questa volontà distruttiva, il solo obiettivo che i terroristi realizzano è nuocere ai musulmani e agli arabi di tutto il mondo, provocando un clima di sospetto generale intorno a ogni cittadino arabo che viaggia per il mondo, e uccidere persone innocenti.

Il terrorismo è stato da sempre l'arma dei disperati. E tuttavia le persone di Al-Qaeda non sono dei disperati, sono degli agenti di cui non si conoscono le motivazioni profonde, vere, ma che godono del dolore che provocano. Sono ben organizzati, dispongono di mezzi materiali e di complici importanti. Nessuno è ancora riuscito a fare luce sulle motivazioni complesse e incomprensibili del terrorismo internazionale, quello che ha colpito New York, Casablanca, Madrid, Londra, per non parlare delle esplosioni quotidiane in Iraq e degli attentati sporadici nei paesi del Golfo.

È su questo sfondo che Samuel Huntington ha offerto agli americani una tesi originale, ma semplicistica e perfino falsa, per rassicurarli nell'idea che hanno di se stessi e consentire loro di agire senza dover rendere conto a nessuno. Cosa dice Samuel Huntington? Lo cito: "La mia ipotesi è che, in questo mondo nuovo, la fonte fondamentale e principale dei conflitti non sarà né economica né ideologica. Le grandi divisioni in seno all'umanità e la fonte principale dei conflitti saranno culturali. Gli stati-nazione resteranno gli attori più potenti sulla scena internazionale, ma i conflitti centrali della politica globale opporranno nazioni e gruppi appartenenti a culture diverse. Lo scontro di culture dominerà la politica su scala planetaria. Le linee di frattura fra le diverse culture saranno le linee di scontro delle battaglie del futuro".

Il compianto Edward Said ha risposto magistralmente a questa rete di pregiudizi e analisi superficiali e soprattutto caricaturali. Ha scritto in un articolo pubblicato su "Le Monde" del 27 ottobre 2001: "La tesi dello scontro delle civiltà è un gadget come 'la guerra dei mondi', più efficace nel rinforzare un orgoglio difensivo che nel dare accesso a una comprensione critica della straordinaria interdipendenza della nostra epoca".

È illusorio opporre due entità così imbricate come Oriente e Occidente; c'è infatti un'eredità filosofica e scientifica che è passata per il mondo arabo e musulmano. Ignorarla come fa Huntington è un modo di ingannare i lettori. Edward Said ricorda che "l'Occidente ha attinto all'umanesimo, alla scienza, alla sociologia, alla storiografia dell'islam, che si erano inseriti fra il mondo di Carlo Magno e l'antichità classica. L'islam si trova fin dall'inizio all'interno della cultura occidentale, e infatti lo stesso Dante, grande nemico di Maometto, lo riconosce nella sua grandezza mettendo il profeta al centro del suo inferno". In pieno centro, a Bologna, nella chiesa di San Petronio, si può vedere, facendo attenzione, un gigantesco affresco del 1415 di Giovanni da Modena in cui il profeta Maometto è fra le mani di Satana che lo trascina verso l'inferno.

L'odio di oggi ha radici in un passato lontano. Huntington non fa che risvegliare questi antichi rancori con l'obiettivo di garantire la supremazia dell'Occidente e di difenderla, rovinando i paesi arabi.

Sarebbe troppo semplice ridurre i paesi del Vicino Oriente al terrorismo o a un'unica religione. È vero che esistono degli antagonismi seri fra gli stili di vita e le scelte politiche di Occidente e Oriente. Ma lo scontro delle culture è più uno slogan che una realtà, perché le culture sono mobili, viaggiano e si interpretano. Non avanzano come dei blocchi di cemento armato. Sono fluide, contagiose. Al contrario, lo scontro di ignoranze è un fenomeno molto diffuso. È su questo terreno che il terrorismo funziona, recluta, fa il lavaggio del cervello e agisce in completa impunità perché è selvaggio, mascherato, altera la religione in modo sconcertante riuscendo a sostituire l'istinto di vita con la pulsione di morte, data o accettata.

Per lottare contro il terrorismo è necessario che l'Occidente diventi leader di cause giuste, arrivando a promuovere con grande eco i valori di democrazia e di libertà in modo onesto, senza secondi fini. Bisogna che i suoi interessi passino in secondo piano.

La tesi che vuole semplicemente esportare la democrazia nei paesi arabi (solitamente detta "democrazia col forcipe") ha mostrato i suoi limiti e anche i suoi pericoli. Non c'è, infatti, alcuna comprensione delle mentalità del Vicino Oriente né di questo valore universale. La democrazia non si impone occupando i paesi, lacerandone le strutture e seminando il caos – cosa che si traduce in una guerra civile. La democrazia non è una tecnica, un gadget, una sorta di pillola diluita in acqua. La democrazia è una cultura, una visione del mondo, un modo di stare al mondo e di imparare a vivere con gli altri. È una cultura che ha bisogno di tempo affinché la popolazione la accetti e se ne impregni. Una pedagogia quotidiana inizia nelle scuole. Non si limita a una scheda per votare (essendo il voto solo una delle manifestazioni concrete della democrazia) né a una decisione presa in un ufficio pieno di militari.

Sono certo, comunque, che una volta che sarà resa giustizia al popolo palestinese, una giustizia che garantisca pace ai due popoli, ciascuno col suo stato, il terrorismo perderà gran parte della sua virulenza. Poi, bisognerà risolvere al più presto la questione irachena. Per questo, sarà necessario tornare a Washington e chiedere di riparare agli enormi danni che la politica di Bush ha fatto in questo paese.

Il triste caso delle caricature del profeta Maometto ha mostrato quanto l'abisso di incomprensione e ignoranza sia grande tra l'Occidente e il mondo musulmano. Gli occidentali non hanno idea di ciò che può ferire la sensibilità musulmana, e i musulmani invece confondono stampa e potere e non riescono a immaginare che la libertà di stampa è un valore sacro.

Conoscersi significa anche riconoscersi, accettarsi e rispettarsi. Cominciamo dalla cultura; la politica seguirà. L'Oriente arabo ha molto Occidente in lui, nella sua storia, nel suo sapere e apprezzerebbe molto che i paesi europei posassero su di esso uno sguardo non di diffidenza e di sospetto, non di interesse economico e strategico, bensì uno sguardo curioso della sua cultura e della sua civiltà.

Dalla paura al terrore

Vi è già capitato di avere paura, veramente paura? Il sangue si ghiaccia, lo stomaco si chiude, la salivazione si blocca, tremate pur restando fermi, immobili. La paura è umana, molto umana, e non risparmia nessuno. Il terrore è più della paura, è l'annuncio del disastro, della catastrofe, è qualcosa che plana sopra di voi e voi non sapete quando e come vi colpirà. Seminare il terrore, provocare paura, giocare con la fragilità degli esseri umani, distruggere, uccidere degli innocenti, massacrare delle popolazioni nel sonno, ecco cos'è il terrorismo.

Da qualche tempo sappiamo che il Marocco è un obiettivo. È iscritto nella lista di coloro che vogliono mostrare che possono colpire ovunque e destabilizzare qualsiasi paese. È un obiettivo come la Francia o la Spagna. La sua evoluzione, la sua democratizzazione, la sua volontà di cambiamento non piacciono a tutti. La grande "centrale" terrorista di cui non si sa niente, o quasi niente, chi la finanzia? Chi la dirige? Chi la manipola? Chi si nasconde dietro nomi celebri come quello di Bin Laden? Chi ha interesse a creare disordine, a seminare il terrore fra le popolazioni? Forse non lo sapremo mai, vuole avere una statura internazionale, come una compagnia aerea che vuole servire gli aeroporti di tutto il mondo. L'ambizione di questa centrale, per quanto abbia una sede e una ragione sociale, come una società, è impedire ai paesi che sono in corso di democratizzazione di riuscire nel loro progetto. Non importano le ragioni. Non c'è bisogno di averne.

Questa centrale vorrebbe seminare la morte un po' ovunque. È il suo obiettivo, la sua passione e la sua ragion d'essere. Il Marocco, malgrado gli attentati del 16 marzo 2003, sembra impenetrabile per Al-Qaeda. In effetti, perché il terrorismo possa colpire a suo modo, ha bisogno di un minimo di complicità sul posto. Ora, i marocchini, qualunque siano le loro delusioni nei confronti della politica del governo, sono profondamente contrari a ogni tentativo terrorista, sono vigili. Non è così in Algeria, dove la guerra civile ha lasciato tracce e abitudini che il terrorismo sviluppa con una brutalità rara.

Questo terrorismo politico e omicida, anche se è inquietante, anche se non disarma, incontra per il momento alcune difficoltà a farsi strada nel nostro paese. Ha tentato, ha provato tutto, ma complessivamente è fallito.

Ma c'è un altro terrorismo, quello non armato, quello del pensiero conformista, quello della morale più o meno rivisitata da un certo islam, una morale militante, attivista, che entra nella vita privata. In questo caso, siamo di fronte a uno strano attacco.

Ricordo che, negli anni sessanta, quando ero studente, le nostre idee di progresso e di cambiamento del regime, le nostre lotte per la libertà e la democrazia, erano combattute radicalmente dalle autorità. Tuttavia, noi non avevamo alcuna volontà distruttrice, volevamo costruire un Marocco aperto, giusto e democratico. L'accanimento della polizia e la repressione che esercitava con ferocia hanno distrutto migliaia di famiglie, hanno mandato a morte dopo la tortura migliaia di ragazzi. Era un Marocco confiscato dal potere assoluto, che aveva eretto l'arbitrarietà e la corruzione a regola di comportamento.

Era l'epoca in cui il terrore veniva dai commissariati. Ma nessuno parlava di terrorismo.

Al Marocco è stato impedito di progredire. Il paese è stato bloccato e tutta l'energia presente è stata usata per la sicurezza del potere in carica. Non bisogna dimenticare quest'epoca; va raccontata a coloro che sono nati solo vent'anni fa.

Qual è il terreno che favorisce l'emergere del terrorismo? Si è parlato di quartieri poveri, di bidonville dove la vita assomiglia a un inferno, si è parlato di miseria, di disperazione, ma poi si sono visti dirigenti, giovani provenienti da ambienti colti e non poveri essere attratti dalla cintura della morte, dagli esplosivi intorno alla vita. Dunque la situazione è più complessa.

Più della vigilanza del popolo e della polizia, e più di quello che si può intraprendere per garantire la sicurezza ai cittadini, bisogna curare il male alla radice. La radice è la cultura. Sì, scommetto che se il Marocco puntasse sullo sviluppo culturale potrebbe evitare che dei giovani esplodano nella folla per ragioni oscure. La cultura non è una panacea, un rimedio a tutti i mali, ma senza cultura, senza erudizione, l'emergere del male e della stupidità è facilitato.

Un bambino dei quartieri popolari, poveri, che esce dal suo ambiente oggi può scegliere tra correre dietro a un pallone o correre per strada alla ricerca di eccitanti. È una preda facile per i reclutatori dell'infelicità. È nell'assenza, nel vuoto, nella povertà che si infila il male. Ci sono mille modi per convincere un adolescente a cambiare il suo istinto di vita in istinto di morte. Si può chiamare "lavaggio del cervello" o semplicemente si può parlare di una disponibilità del cervello dovuta al fatto che normalmente niente di costruttivo, niente di buono lo occupa.

Finché il governo non considera l'impatto della cultura sulla crescita dei giovani, finché non dà fiducia agli innovatori, alla forza del patrimonio della nostra cultura, finché non dà l'importanza che dovrebbe all'educazione civica, al risveglio delle coscienze e alla loro apertura a valori universali come il diritto alla libertà di pensiero, di scelta democratica, al dibattito e al mutuo rispetto, sarà l'ideologia oscurantista, criminale, che approfitterà di queste mancanze e di questa debolezza politica. L'obiettivo culturale deve essere al centro di tutto. Senza cultura non c'è sviluppo, né fede né sicurezza.

Anche se io continuo a martellare su queste evidenze, ho l'impressione che nessuno le prenda sul serio. Ne avevo parlato a lungo una sera con una personalità molto vicina al re del Marocco. Quest'uomo, intelligente e raffinato, era d'accordo, ma faceva fatica a iniziare questo lavoro che dovrebbe riguardare tutti i ministeri e non unicamente quello della cultura, noto per non avere quasi alcun budget o almeno non un budget adeguato per questa politica.

Puntando sulla cultura non dico che sarà possibile sradicare la minaccia terrorista, è un'azione a lungo termine, che guarda alla radice del problema. Un cervello è disponibile al "lavaggio" e alla trasformazione solo se le condizioni di questo "lavaggio" ci sono già. Bisogna avere fiducia nei formatori e formare gli educatori. Bisogna fare scelte chiare soprattutto in ciò che riguarda il problema della lingua. Il monolinguismo è all'origine di frustrazioni. Bisogna assumere il trilinguismo naturale del Marocco (l'arabo, il berbero, una lingua straniera). Questa è una chiarificazione che si impone e che deve essere intrapresa affinché lo studente marocchino sappia che la diversità è preferibile alla cultura di una sola lingua.

Il terrorismo è la regressione più pericolosa. Non lo si può combattere solo con mezzi materiali. Bisogna combatterlo per varie strade senza trascurare alcuna pista. Per il momento propongo che si metta l'accento sull'educazione e sulla cultura e che si discuta pubblicamente di questa mobilitazione affinché il Marocco affronti la minaccia in modo razionale e calmo.

P.S. Tutto ciò non ha niente a che vedere col tema di questo intervento, ma devo confessare che sono stato choccato da due fatti successi in febbraio: uno è la morte in prigione di M. Ahmed Nasser, un uomo di 95 anni, accusato da un poliziotto di aver "insultato il re". L'altro è la condanna a tre anni di prigione di un giovane, Fouad Mourtada, che ha osato – per ammirazione – spacciarsi su Facebook per il principe Moulay Rachid. Il capo d'accusa è "usurpazione dell'identità di sua altezza Moulay Rachid". Queste due storie hanno fatto il giro del pianeta su Internet ma anche sugli altri media, dando un'immagine del Marocco come paese teso, troppo suscettibile e soprattutto con una giustizia sommaria. Si ha l'impressione di tornare a un'epoca che si pensava definitivamente conclusa. Bisogna liberare Fouad Mourtada.

A proposito del verdetto sugli attentati di Madrid: il terrorismo e la morte di Dio

La giustizia degli uomini, anche quando è amministrata con la massima preoccupazione per l'equilibrio e la riparazione, anche se moltiplica gli anni di detenzione, sarà sempre imperfetta, comportando per gli uni e per gli altri degli elementi oggettivi di frustrazione, un sentimento di insuccesso perché niente potrà mettere fine al dolore di una madre né rendere il superamento del lutto più facile.

Penso alle centinaia di famiglie vittime degli attentati dell'11 marzo 2004 a Madrid, o di quelli di Londra o Casablanca. Il terrorismo, al di là della sua spirale incontrollabile e imprevedibile, resta un flagello che perseguita le democrazie e certi paesi emergenti.

La morte in guerra è antica quanto l'uomo. Battersi per la propria terra usurpata o per la propria casa distrutta è legittimo, qualunque sia l'ideologia che ci sta intorno. Ma morire in un treno, in un caffè o in un bus senza essere né un soldato né un belligerante è un fenomeno nuovo, e lo spirito razionale e i sostenitori della modernità non potranno farci niente.

La grande svolta nella relazione tra vita e morte è avvenuta il giorno in cui un vecchio è riuscito a convincere dei ragazzi a rinunciare all'istinto di vita e a sostituirlo con quello di morte, non una morte qualsiasi, ma una morte che passa attraverso di sé e poi coinvolge la massima quantità di persone, il cui errore è solo di essere là dove si verifica il passaggio da un istinto all'altro, in una sorta di trance o meglio nella serenità di un dovere svolto bene.

Il fatto che qualcuno non abbia più neanche la percezione del corpo che respira, che vive e che spera ha cambiato completamente le coordinate di questa nuova guerra, una guerra che non dice il suo nome, che si fa nell'invisibilità, che agisce di sorpresa, che colpisce gli innocenti come fosse una ragione d'orgoglio.

Se una vita viene sacrificata per eliminarne centinaia, significa che sentimenti universali come la paura, la lotta per la vita, la lotta per conservare il proprio corpo intatto e la propria mente sana, si sono allontanati dal registro della normalità per lasciare il posto a uno spirito di sacrificio omicida. Si può leggere questo fenomeno in termini patologici, ma questo non ci aiuterà molto. È una rivoluzione che l'Occidente non aveva previsto e contro cui non può lottare efficacemente. Si è tentato di tutto per spiegare il gesto di questi ragazzi che si trasformano in "bombe umane" e procurano infelicità. Si è detto che la colpa è dei quartieri dormitorio e delle misere condizioni di vita in cui versano. Poi si è visto che a gettarsi fra la folla carichi di esplosivo sono ragazzi provenienti da famiglie agiate, che hanno fatto studi scientifici, che non soffrono di particolari frustrazioni. Si è detto che tutto questo succede per riscattare il popolo musulmano dalle umiliazioni che ha subito. Ma sono i musulmani, nelle moschee, i primi obiettivi. Si è detto che succede per vendicarsi di Israele che occupa territori palestinesi e disprezza i simboli dell'islam. Ma si è visto che i palestinesi di Hamas uccidono altri palestinesi con gli stessi metodi delle "bombe umane".

Allora che fare e cosa pensare?

Si può analizzare il fenomeno dal punto di vista politico, religioso, psicologico, ma resteremmo comunque insoddisfatti.

Farò quindi riferimento alla nozione di transfert: l'istinto di morte estromette quello di vita e diventa il motore della vita. La vita non c'è più, non è più quella che le persone definiscono "normale", la vita si dilegua nella testa dei futuri kamikaze e il godimento che ne traggono è virtuale; la vita è vissuta come anticipazione, come preparazione al momento in cui si diventa un suicida-assassino. Il futuro kamikaze vivrà intensamente la sua vita e individuerà in essa la ragione per lasciare questo mondo, prezioso per la maggior parte delle vittime, tanto più che queste non sono scelte ma elette dal caso, nell'anonimato.

Il piacere sta in questo: il futuro suicida-omicida passeggerà per la città, visiterà i luoghi del suo prossimo colpo e si sentirà un dio, che ha il potere di togliere la vita all'uno o all'altro, di rovinare la vita di un passante cui colpirà una gamba o un braccio, o che renderà orfano o che morirà in seguito alle ferite. Questa posizione è magica. L'assassino non si muove più in una logica di vendetta o di furto, in funzione della sopravvivenza, ma si colloca nella sfera della divinità, che fa di lui un essere eccezionale, conferendogli uno statuto assolutamente straordinario che nessun generale dell'esercito è riuscito mai ad avere, eccetto Hitler e i suoi compagni che pianificavano freddamente l'esecuzione di milioni di esseri umani il cui errore era di essere nati ebrei o rom.

Il suicida-omicida godrà di questa condizione il tempo necessario per spostarsi altrove, là dove né io né voi abbiamo voglia di andare particolarmente in fretta. Poiché la paura della morte non c'è più, è come se Dio fosse morto: tutto è possibile e questo possibile talvolta è ammantato di qualche riferimento pseudoreligioso che confonde le piste degli inquirenti e dei politici.

Per fortuna non tutto è perfetto. Esistono i fallimenti, i piccoli intoppi e lo spirito vigile della popolazione: in questi ultimi anni, in Marocco, i candidati al massacro sono stati individuati da passanti o poliziotti attenti. In questi casi cosa ne è del famoso transfert? Non funziona più. L'istinto di vita riprende il suo posto e i suoi diritti e la "bomba umana" torna a essere una persona qualunque, ordinaria, che ha paura, che ha fame, che vuole parlare con la sua famiglia, che giura che non ricomincerà più. Torna a essere attraversato dalla vita e anche dai rimorsi e dal senso morale.

Il verdetto di Madrid del 31 ottobre 2007 non scoraggerà nessuno. Coloro che si preparano per eseguire delle missioni suicide e soprattutto omicide sono al di là di tutto quel che è stato detto in quel tribunale. I condannati non vengono neanche riconosciuti dagli altri terroristi che si preparano a essere kamikaze. Non sono loro fratelli nella lotta. Sono dei criminali perché si sono fatti prendere.

Hanno perso il prezioso istinto di morte e sono tornati a essere persone "normali". La prova è che nessuno di loro ha tentato di uccidersi in prigione e alcuni hanno pianto perché non sanno cosa gli sia successo. L'istinto di morte non sopporta il fallimento, il dubbio, la sconfitta. È riservato a uomini superiori, non al primo derelitto. Bisogna meritarlo e arrivare in fondo a questa logica infernale che consuma tutto ciò che tocca. C'è tuttavia un paradosso: bisogna essere stati molto deboli (dunque manipolabili) per diventare "esseri superiori".

In ogni caso, purtroppo non siamo di fronte a una crisi. La logica del massacro continua.

Spetta a ciascuno di noi il compito di tenerlo presente e vigilare.

L'islam vulnerabile

Perché in varie parti del mondo ci sono musulmani che reagiscono in modo violento e sproporzionato ogni volta che l'islam è oggetto di uno sguardo critico? Perché ci sono animi che si surriscaldano, perdono la calma e si sentono profondamente feriti da parole o ipotesi come quelle avanzate da papa Benedetto XVI? L'islam è davvero tanto fragile? Sarebbe così vulnerabile da spingere, alla minima occasione, tanti credenti a scendere per le strade e manifestare con violenza come se il destino di un miliardo di persone fosse minacciato?

Le reazioni di grande violenza suscitate dalle caricature di Maometto – diversi morti, edifici diplomatici incendiati, boicottaggio di certi prodotti ecc. – erano già talmente sproporzionate che mi ero interrogato su questa suscettibilità, che potrebbe significare che l'islam è molto fragile e che può essere messo in crisi da alcune caricature di modesto interesse.

In realtà a essere vulnerabile non è tanto l'islam, quanto certe popolazioni musulmane che hanno affidato a questa religione tutto il loro essere, le loro aspirazioni, le loro speranze, la loro vita. Poiché non vivono sotto regimi autenticamente democratici, si sono rivolte alla religione, che offre risposte a tutte le loro domande. Popolazioni che vivono soltanto dell'islam e per l'islam. Una religiosità che in Occidente è scomparsa, come lo stesso papa constata e rimpiange.

Le stesse reazioni, altrettanto virulente e altrettanto insensate, le ritroviamo dopo il discorso del papa. Mi è capitato di leggere quel discorso per intero. È molto interessante. È il discorso di un teologo, un uomo che riflette sulle religioni e la loro relazione con il mondo. È un testo erudito, ben scritto, e soprattutto è un'apologia della ragione: la ragione che illumina il pensiero e l'azione.

Ma chi ha letto quel testo? Non certamente quelli che sono usciti di casa stravolti per andare a bruciare il ritratto di Benedetto XVI.

Il testo parla del rapporto tra religione e violenza, si riferisce a un dialogo dell'imperatore bizantino Manuele II Paleologo con un erudito persiano su cristianesimo e islam. Benedetto XVI cita frasi sgradevoli sull'islam e sul ricorso alla violenza per diffondere la fede. Quel passaggio del testo è poco riuscito. Anche se si colloca nel XIV secolo, i musulmani di oggi l'hanno preso per un'aggressione alla loro religione come viene praticata attualmente. È vero che il papa avrebbe dovuto ricordare l'età dell'oro e i secoli dei Lumi degli arabi e dell'islam (tra il IX e il XII secolo), ricordare che nel VII secolo c'è stato un movimento razionalista, il Mutazilismo, combattuto per aver cercato di introdurre la ragione nella fede, e che in Andalusia cristiani e musulmani hanno convissuto pacificamente per sette secoli.

Papa Benedetto XVI non sa, forse, che da una trentina d'anni l'islam è stato fatto deviare dal suo messaggio di pace per diventare in alcuni paesi un'ideologia di lotta contro l'Occidente. È più facile forgiare un fanatico che creare un intellettuale che pensa, dubita e discute. Oggi è difficile confrontarsi sull'islam e sui suoi rapporti con l'Altro, con l'Occidente. Come è difficile anche per un musulmano calmo e sereno parlare della libertà di culto, della laicità o, peggio ancora, dell'ateismo. C'è un'intolleranza che paralizza il dibattito. È un vero problema tra musulmani. In Egitto alcuni liberi pensatori, filosofi che dubitano, sono stati uccisi. Non siamo in un'epoca di lumi, siamo in un'epoca di crisi. E il papa ha trascurato questo aspetto.

Anche il cristianesimo è passato, a suo tempo, attraverso questa stessa violenza e attraverso brutalità terribili. Il mondo musulmano reagisce con tanta virulenza perché non è sereno, perché non è felice, perché vede che in certi paesi i musulmani sono maltrattati e umiliati, perché constata che al popolo palestinese non è stata resa giustizia. È questa la ragione delle sue reazioni spropositate, attizzate dai media e in particolare dalle televisioni satellitari, che gettano benzina sul fuoco.

È ora che le autorità religiose calmino questa virulenza e instaurino un vero dialogo con l'Altro, perché siamo condannati a vivere insieme.

Indice

Introduzione alla nuova edizione   5

L'ISLAM SPIEGATO AI NOSTRI FIGLI   19

L'11 settembre spiegato ai nostri figli   21
Secondo giorno   26
Terzo giorno   34
Quarto giorno   42
Quinto giorno   47
Sesto giorno   53
Settimo giorno   61
Ottavo giorno   67
Nono giorno   72
Postfazione   85

VIVERE INSIEME   91

SCENE DI VITA QUOTIDIANA   93
La Porsche e il fantasma   93
Cose viste quest'estate in Marocco   96
I convertiti   99
Giustizia alla saudita   101

LO SPIRITO DELL'ISLAM   105
Sottomissione alla pace   105
Non è l'islam che deve cambiare ma i musulmani!   108
Jihad   113
Mutua ignoranza   119

ORIENTE-OCCIDENTE   125
Vivere insieme   125
Minareti, burqa, identità nazionale   129
L'Arabia Saudita nella trappola del fondamentalismo   131
Foulard e Nobel   134
Il fanatismo   137
Laicità   139
Essere musulmano in Europa   143
Ahlan wa Sahlan! (Benvenuto!)   149
Oriente-Occidente, lo scontro delle ignoranze   151
Dalla paura al terrore   161
A proposito del verdetto sugli attentati di Madrid:
il terrorismo e la morte di Dio   165
L'islam vulnerabile   169

Bompiani ha raccolto l'invito della campagna
"Scrittori per le foreste" promossa da Greenpeace.
Questo libro è stampato su carta certificata FSC,
che unisce fibre riciclate post-consumo a fibre vergini
provenienti da buona gestione forestale e da fonti controllate.
Per maggiori informazioni: http://www.greenpeace.it/scrittori/

Finito di stampare nel mese di marzo 2016 presso
Grafica Veneta S.p.A. - via Malcanton 2, Trebaseleghe (PD)
Printed in Italy